SIEGFRIED LENZ

DAS WRACK AND OTHER STORIES

GW00579013

SIEGFRIED LENZ

Das Wrack
and Other Stories

Edited by

C. A. H. RUSS, M.A. (Lond.)

Senior Lecturer in German,
University of Kent at Canterbury

HEINEMANN EDUCATIONAL BOOKS

LONDON

Heinemann Educational Books Ltd
22 Bedford Square, London WC1B 3HH

LONDON EDINBURGH MELBOURNE AUCKLAND
HONG KONG SINGAPORE KUALA LUMPUR NEW DELHI
IBADAN NAIROBI JOHANNESBURG
EXETER (NH) KINGSTON PORT OF SPAIN

ISBN 0 435 38536 4

Printed in Great Britain by
Butler & Tanner Ltd, Frome and London

Contents

Select Bibliography

Siegfried Lenz, 'Autobiographische Skizze', at the end of the Reclam selection *Stimmungen der See* (Universal-Bibliothek 8662), Stuttgart, 1962.

R. W. Leonhardt, 'Siegfried Lenz', in *Schriftsteller der Gegenwart*, ed. K. Nonnenmann, Olten and Freiburg im Br., Walter-Verlag, 1963, pp. 214–21.

M. Reich-Ranicki, 'Siegfried Lenz, der gelassene Mitwisser', in his *Deutsche Literatur in West und Ost*, Munich, Piper, 1963, pp. 169–84.

C. A. H. Russ, 'The Short Stories of Siegfried Lenz', *German Life and Letters*, xix, 4 (July, 1966).

Introduction

SIEGFRIED LENZ was born in 1926 in the small town of Lyck, in East Prussia. After a boyhood spent in that remote and beautiful region of pre-war Germany, he saw active service as a sailor in the Baltic. His sombre *Schwierige Trauer* evokes the confused period in which the *Drang nach Osten* turned to retreat on land and sea, and to panic-stricken civilian flight. The end of the war found Lenz living 'underground' as a deserter in Denmark. After some time as a prisoner of war, and interpreter for the British, he stamped his own release papers and proceeded to the University of Hamburg to study literature and philosophy, getting the wherewithal by assuming the diverse roles of blood donor and black marketeer (*Lehmanns Erzählungen oder So schön war mein Markt*, 1964). He intended to become a teacher but, as he explains in his urbane, illuminating *Autobiographische Skizze* (1962), a fortuitous conversation made him change his mind and he turned to journalism. Like Hemingway, whose influence on his work has been marked, Lenz has benefited from the discipline of verbal economy imposed upon him by this craft. Now a professional writer, he divides most of his time between Hamburg and the Danish island of Als, to which he retires each summer in order to write. He is widely travelled, having seen such diverse parts of the world as Kenya and the U.S.A. Some of his works, as we shall observe, reveal this first-hand experience of foreign parts. Nevertheless, his memories of East Prussia and his familiarity with the North German coast, and with the life of the bustling port of Hamburg, have remained cardinal influences on his writing.

Since the publication, in 1952, of Lenz's first novel, *Es waren Habichte in der Luft*, composed – as the author himself emphasizes – under the influence of Dostoevsky and that of Faulkner, he has rapidly gained a respected position in contemporary

German letters. He is, first and foremost, an unusually prolific writer of fiction. The first novel has already been followed by four others: *Duell mit dem Schatten* (1953), *Der Mann im Strom* (1957), *Brot und Spiele* (1959) and *Stadtgespräch* (1963). Interspersed with these works, moreover, there have appeared several collections of tales and short stories: *Jäger des Spotts* (1958), *Das Feuerschiff* (1960) and *Der Spielverderber* (1965). Lenz's best-known work of fiction is probably *So zärtlich war Suleyken* (1955), a cycle of stories evoking with affectionate humour the remembered world of the author's boyhood in Masuren, East Prussia, and written in a stylized form of that region's dialect. The collection was originally composed for the benefit of Lenz's wife, who comes from Hamburg.

Lenz's other work is varied. He is an essayist of note, and is reckoned among the leading exponents of the radio play (*Hörspiel*), a major form in contemporary German literature which has attracted other prominent writers such as Heinrich Böll, Günter Eich and Ilse Aichinger. In recent years, Lenz has attracted considerable attention with his work in the theatre itself. His play *Zeit der Schuldlosen* (1961), based on twin *Hörspiele*, was, indeed, an international success. Like the novel *Der Mann im Strom* and the tale *Das Feuerschiff*, it has been filmed (other works have been televised). A further play, *Das Gesicht*, received its first performance in 1964.

Lenz possesses not only a vigorous creative talent but also critical perception, deepened by his study of both German and foreign literature. He is an unusually helpful analyst of his own work, and surveys the German cultural and political scene about him with watchful interest. He is, that is to say, a typical member of the *Gruppe 47*. This informal association of writers and critics, which takes its name from the year of its inception, includes leading authors of the post-war era: Heinrich Böll, Alfred Andersch, Martin Walser, Günter Grass, Hans Werner Richter, and many others. Its contribution to the 'reconstruction' of German literature has been immeasurable. During the Nazi period, much of the best German writing – the fiction of Thomas Mann and the plays of Bertolt Brecht, for example – had been written in exile. The independently minded writer in

Germany itself had been reduced to an *innere Emigration*, which often resulted in safe vapidity or in silence. Such were the antecedents of the situation which confronted the *Gruppe 47* at the start and which it has sinced helped to redress, so that German fiction, in particular, is now thriving. Although the *Gruppe 47* embraces a diversity of talents, and promotes vigorous debate at its widely publicized meetings, it is united in its refusal to be dazzled by the glossier, 'never had it so good' aspects of the West German economic recovery. The anti-heroes of Lenz's stories *Der Amüsierdoktor* and *Mein verdrossenes Gesicht* both perform parasitic, non-productive jobs typifying the world of the *Wirtschaftswunder* as this group of writers sees it – a world peopled by such hollow men as the factory owner in *Ein Haus aus lauter Liebe*. During the West German elections of 1965, Lenz spoke publicly in support of the Social Democrats. At the same time, he has been careful not to let his craft degenerate into mere propaganda, preferring to employ narrative art in order to convey what he wants to say, and eschewing direct assault: 'Ich schätze nun einmal die Kunst herauszufordern nicht so hoch wie die Kunst, einen wirkungsvollen Pakt mit dem Leser herzustellen, um die bestehenden Übel zu verringern' (in *Die Welt*, 27 January 1962).

The eleven stories constituting the present selection reveal Lenz as a versatile writer. An attempt has been made to underline this by arranging them so that such dissimilar narratives as *Ein Haus aus lauter Liebe* and *Nur auf Sardinien* are juxtaposed. However, it is equally true that this author's work is, both thematically and in certain technical respects, highly unified. We may, therefore, first study the diversity of the selected stories, and then try to define the unity which yet underlies them.

A particularly obvious kind of variety in Lenz's tales is provided by their settings and backgrounds. Thus, in *Lukas, sanftmütiger Knecht*, he draws on first-hand knowledge of the landscape of Kenya, just as his direct observation of the region concerned furnishes local colour in *Nur auf Sardinien*. Other stories in this selection employ diverse *German* backgrounds, ranging from the primitive, elemental world of the northern coast and the Baltic, to the emphatically contemporary, urban spheres of the 'economic miracle' and the mass media; and from an athletics meeting to East Prussia in the turmoil of a lost war. Lenz's characters, moreover, are as varied as the backgrounds which shape their lives. To name only a few, these figures include a farmer, a runner, an advice columnist, a photographer's model, and a teacher and his old pupil. The breadth of vocabulary articulating such different scenes and figures makes Lenz an unusually challenging and instructive author for the foreign reader.

If the raw material of Siegfried Lenz's tales – the settings and characters, and the language which brings them before us – is culled from many sources, the techniques with which the material is handled are equally diversified. Thus, five of the stories here presented (*Nur auf Sardinien*, *Der Läufer*, *Das Wrack*, *Die Nacht im Hotel* and *Stimmungen der See*) use the viewpoint of the 'omniscient narrator', who is able to describe the characters from outside or inside, at will. In *Stimmungen der See*, for instance, we are offered not only details of a Professor's external appearance but also 'inside knowledge' of his attitude to his former pupil, now his companion in an attempt to escape to a new life abroad. And not only is *Der Läufer* predominantly a study of an athlete's psychological processes during his last race, but Lenz takes further advantage of his 'omniscience' in order to afford us an unexpected insight into the mind of the starter:

> er dachte für einen Augenblick an die Zeit, als er selber im Startloch gekauert hatte, einer der besten Sprinter des Kontinents. Er spürte, wie in der furchtbaren Sekunde bis zum Schuß die alte Nervosität ihn ergriff, die würgende Übelkeit vor dem Start . . .
> (p. 40.)

In contrast to this technique, we find in the six other stories of the present selection the device of the 'fictive narrator', i.e. one of the characters who himself recounts the tale (*Ich-Erzählung*). This kind of presentation admittedly involves a limitation of narrative scope, for the reader is completely dependent on the knowledge, experience and emotions of the single character in question. However, this intimacy may bring compensating advantages. In *Lukas, sanftmütiger Knecht*, for example, it enables the recollected desperation of the narrator's journey home – the centre of both the physical action and the psychological interest – to come across to the reader with almost unbearable immediacy. Again, the disillusionment of the narrator of *Der seelische Ratgeber* becomes explicit only in the last sentence of the tale, and the avoidance of analytical comment before this point – or *Pointe* – is reached is particularly in keeping with his uncomplaining, self-effacing character as it is revealed in the course of his account.

Certain of these *Ich-Erzählungen* are primarily studies of the narrators themselves. *Ein Haus aus lauter Liebe* and *Schwierige Trauer*, however, employ the fictive narrator as the observer, or chronicler, of another character's lack of humanity. In *Der Amüsierdoktor* and *Der seelische Ratgeber* the interest is divided more evenly between the figures observed and their observers, who report as narrators to us, the readers. As we would expect, the stories employing an impartial, omniscient narrator also take a wider view (though *Der Läufer* is firmly centred on the hero). Thus *Das Wrack* presents the father–son relationship, which particularly interests Lenz. He has also studied marital situations in several stories, exemplified here by *Nur auf Sardinien*, using the 'omniscient' perspective. And the tensions generated when characters are confined in close proximity to each other is explored in both *Die Nacht im Hotel* and *Stimmungen der See* from this same impartial narrative viewpoint.

Variety of tone accompanies the variety of perspective: Lenz succeeds in allowing each of his fictive narrators to address us in a manner consonant with his occupation, background or attitude. If the naïve tone of *Der seelische Ratgeber* underlines the narrator's remembered youthful inexperience, the *Amüsierdoktor*, on the other hand, recounts his adventures in a measured style appropriate to his academic education, and in comic contrast with the uncontrollable situations which he is recording. Again, the contemptuous tone of *Schwierige Trauer* brings home to us the narrator's feelings. It must be added that the tales employing the omniscient narrator sustain the same variety of tone: compare the laconic *Nur auf Sardinien* with the more discursive *Der Läufer*. This ability to speak with various voices is perhaps related to Lenz's ability as a dramatist, of which some account has been given. At the same time his use, or avoidance, of dialogue itself in his stories is highly discriminating, and further contributes to their diversity: *Die Nacht im Hotel* is largely a conversation piece, whereas dialogue is absent from *Der Amüsierdoktor* and *Lukas, sanftmütiger Knecht*.

An entirely different kind of versatility is revealed in the concatenation of realistic and figurative elements in Lenz's narrative prose. This may be readily illustrated by his treatment of the sea in *Stimmungen der See*. On the one hand, he employs exact nautical terminology, and precisely pinpoints the detail of the seascape, e.g. 'Das Wasser funkelte, wo der Bug es zerspellte. Weiter entfernt leuchteten die zerrissenen Schaumkronen in der Dunkelheit' (p. 121). On the other hand, as the expressive adjective 'zerrissen' here suggests, Lenz also treats the sea as a storehouse of figurative description, so that, for example, it becomes endowed with life: 'Manchmal spürte er, wie sich das Boot hob, mit weichem Zwang, so als würde es von einem kraftvollen und ruhigen Atem angehoben: es war die aufkommende Dünung' (p. 113).

Finally, a kaleidoscopic contrast of comedy and tragedy is a feature of Lenz's stories. He writes both amusing, satirical work, exemplified by *Mein verdrossenes Gesicht*, and, on the other hand, sombre studies of cheated hope (cf. *Lukas, sanftmütiger Knecht* and *Stimmungen der See*). Sometimes, in further variation, the categories appear almost inverted. The events narrated in *Schwierige Trauer* are coloured by an absurdity which would be funny if it were not so sad. Conversely, the ending of *Der Amüsierdoktor* approaches 'black comedy'.

How are these kinds of variety in the stories balanced by an underlying unity? One device which the reader soon recognizes as typical is the use of suspense. Will the farmer in *Lukas, sanftmütiger Knecht* be murdered? Will he be able to reach his home and family before the Mau Mau? Can treasure be won beneath the water (*Das Wrack*), or victory at the end of a race (*Der Läufer*)? Why does the *Haus aus lauter Liebe* contain a locked room from which someone (who?) is trying to escape? Is the assistant of *Der seelische Ratgeber* as uncritical of him as he appears? Will the *Stimmungen der See* favour a desperate venture? Sometimes the very title of a story is so enigmatic as to arouse curiosity: *Der Amüsierdoktor, Mein verdrossenes Gesicht, Schwierige Trauer*.

One of Lenz's favourite methods of creating tension is to make a general reference to an unidentified object or person, provoking our anxious desire for more information. At one point in *Nur auf Sardinien*, we even feel an apprehensiveness of which the character in question remains unaware: 'Vittorio spürte, wie sich etwas in seinen Rücken bohrte [a gun?]. Er wußte, daß es der Peitschenstock von Maddalena war [not a gun!], er wußte, daß sie es war, die unter dem Fenster saß . . .' (p. 31). In *Lukas, sanftmütiger Knecht*, the phrase 'da sah ich ihn' (p. 90) immediately, in the context, conjures up menace – resolved by our discovery that 'he' is only an elephant; and the *Gegenstand* which, later in the tale (p. 93), has attracted sinister, black birds is revealed, to both narrator and reader, as merely the stump of a tree. But the *sie* who subsequently emerge from a farm are, indeed, figures of doom, moving into ever sharper narrative focus: 'ich hatte mich schon aufgerichtet, da kamen sie aus der Farm. Es waren sechs Männer, hagere Kikujus mit Panga-Messern . . .' (pp. 95–6). Similarly, although even more gradually, the 'etwas, was niemand auszusprechen wagte', towards the end of *Stimmungen der See* (p. 133), acquires a precise and terrible identity.

Certain stories provoke not only suspense but surprise. Thus the reader of *Nur auf Sardinien* or of *Der Läufer* is encouraged to wonder where the narrative is leading. Then comes the unexpected conclusion, a bolt from the blue, instead of the conventional ending for which the stage seemed set. And again Lenz exploits the very titles of stories, to conceal an irony which only gradually dawns on the reader: *Ein Haus aus lauter Liebe, Lukas, sanftmütiger Knecht, Der seelische Ratgeber*.

Now these qualities of suspense and surprise heighten the effectiveness of the works through which they run. To put it simply, Lenz is utilizing the traditional tools of the story-teller.

His 'buttonholing' manner, especially in the *Ich-Erzählungen*, and his ability to confound our expectations, prove him heir to an age-old craft of narrative. On the other hand, a further recurrent feature of these stories recalls the explorations undertaken by the modern psychological novelist – a category of writer to which, of course, Lenz himself also belongs. This is his penetration into the minds and hearts of his characters, uncovering their hopes and fears, revealing their personalities, and elucidating the motives underlying their conduct. Even in those stories where events on the physical level are highlighted, this psychological interest remains fundamental. Thus *Stimmungen der See* is more than a thrilling adventure story: its nub is the tension generated between two of the three characters in a boat, investigated, as we have seen, by an omniscient narrator. *Lukas, sanftmütiger Knecht* can be described as a tale of violence, but this physical aspect is far less important than the mental processes of the narrator. Indeed, the violence is not directly described. Instead we study – and share – the psychological effect of its imminence. Similarly, *Nur auf Sardinien* is ultimately concerned with the relationship of the two characters Vittorio and Maddalena, and, in particular, with the former's marital pride, rather than with the physical happenings, dramatic as certain of these are. And is *Der Läufer* 'about' an athlete's final race? Over half the story is devoted to a review of the past, preoccupying him during that race.

We turn now to the central issue of Lenz's stories (and novels). In his *Autobiographische Skizze*, he explains how he was led to it by the collapse of the Nazi régime:

> Dann wurden die Mächtigen machtlos, die Meister der Gewalt büßten ihre Herrschaft ein, und seit damals hat mich dieser Augenblick immer wieder beschäftigt: um selber verstehen zu lernen, was mit einem Menschen geschieht, der 'fällt', abstürzt, verliert, habe ich einige Geschichten geschrieben, in denen der Augenblick des 'Falls' dargestellt wird. Schreiben ist eine gute Möglichkeit, um Personen, Handlungen und Konflikte verstehen zu lernen.

This theme of the 'fall', the disclosure of a man's shortcomings, the revelation of vulnerability, represents the most important single unifying factor in Lenz's work, and is clearly exemplified in the present selection. A human being, this writer is saying, is never more exposed than when he seems strong, never more fallible than when he seems informed, and never more defeated than when victory appears to lie within his grasp. The tycoon in *Ein Haus aus lauter Liebe* and the mayor in *Schwierige Trauer* are revealed as hollow men who do not deserve the status with which they have been invested. This is equally true of Wenzel Wittko, in *Der seelische Ratgeber*, a preposterous figure who is incapable of managing his own personal relationships, and who yet, aided by gin, edits an advice column (the story is based on fact). If these figures are idols with feet of clay, such others as the athlete in *Der Läufer*, the father in *Das Wrack*, the fictive narrator in *Lukas, sanftmütiger Knecht*, and the Professor in *Stimmungen der See* are, albeit not vicious men, nevertheless equally vulnerable. They too are visited and defeated, in their various ways, by the ineluctable moment of truth. *Nur auf Sardinien* shows the theme in an especially paradoxical application: the hero's public legal rehabilitation is accompanied, in his own eyes, by private indignity, for his wife has financed his defence by herself securing the reward for his capture. *Mein verdrossenes Gesicht* also turns on a particularly neat paradox: the narrator gains a niche in society only to lose it again, because he can no longer look dissatisfied! In this story, of course, as in *Der Amüsierdoktor*, the theme of vulnerability is treated in comic vein.

However diverse Lenz's stories, they are hallmarked by his preoccupation with the proximity of success and failure, celebrity and disgrace, security and its forfeiture. Yet we have seen that he is more than a writer with a message, important as his message may be. For he conveys it with resourcefulness and dexterity. In short, he is not only a moralist but also an artist, whose work, both widely appreciated in Germany and available in translation to an international audience, is attracting growing attention and respect.

The editor wishes to express his gratitude to Herr Lenz for his interest in the present selection, and for his generous assistance during its preparation.

C. A. H. RUSS

Ein Haus aus lauter Liebe

Sie hatten einen Auftrag für mich und schickten mich raus in die sehr feine Vorstadt am Strom. Ich war zu früh da, und ich ging um das Haus herum, ging die Sandstraße neben dem hüfthohen Zaun entlang. Es war sehr still, nicht einmal vom Strom her waren die tiefen, tröstlichen Geräusche der Dampfersirenen zu hören, und ich ging langsam und sah auf das Haus. Es war ein neues, strohgedecktes Haus, die kleinen Fenster zur Straßenseite hin waren vergittert, sie sahen feindselig aus wie Schießscharten, und keins der Fenster war erleuchtet. Ich ging einmal um das Haus herum, streifte am Zaun entlang, erschrak über das Geräusch und lauschte, und jetzt flammte ein Licht über der großen Terrasse auf, die ganze Südseite des Hauses wurde hell, auch im Gras blitzten zwei Scheinwerfer auf, leuchteten scharf und schräg in das Laub der Buchen hinauf, und das Haus lag nun da unter dem milden, rötlichen Licht, das aus den Buchen zurückfiel, still und friedlich.

Es war so still, daß ich den Summer hörte, als ich den Knopf drückte, und dann das Knacken in der Sprechanlage und plötzlich und erschreckend neben mir die Stimme, eine ruhige, gütige Stimme. »Kommen Sie«, sagte die gütige Stimme, »kommen Sie, wir warten schon«, und ich ging durch das Tor und hinauf zum Haus. Ich wollte noch einmal an der Tür klingeln, aber jetzt wurde sie mir geöffnet, tat sich leise auf, und ich hörte die gütige Stimme flüstern, flüsternde Begrüßung, dann trat ich ein, und wir gingen leise ins Kaminzimmer.

»Bitte setzen Sie sich«, sagte der Mann mit der gütigen Stimme, »nur zu,[1] bitte, Sie sind jetzt hier zu Hause.«

Es war ein untersetzter, fleischiger Mann; sein Gesicht war leicht gedunsen, und er lächelte freundlich und nahm mir den Mantel ab und die Mappe mit den Kolleghheften. Dann kam er zurück, spreizte die kurzen, fleischigen Finger, nickte mir zu, nickte sehr sanft und sagte: »Es fällt uns schwer. Es fällt uns so schwer, daß ich schon absagen wollte. Wir bringen es nicht übers Herz, die Kinder abends allein zu lassen, aber ich konnte diesmal auch nicht absagen.«

»Ich werde schon achtgeben auf sie«, sagte ich.

»Sicher werden Sie achtgeben«, sagte er, »ich habe volles Vertrauen zu Ihnen.«

»Ich mache es nicht zum ersten Mal«, sagte ich.

»Ich weiß«, sagte der Mann, »ich weiß es wohl; das Studentenwerk hat Sie besonders empfohlen. Man hat Sie sehr gelobt.« Er goß uns zwei Martini ein, und wir tranken, und während ich das Glas absetzte, spürte ich, wie ich erschauerte, aber ich wußte nicht wovor: sein Gesicht war freundlich, und er lächelte und sagte: »Vielleicht komme ich früher zurück; es ist ein Jubiläum, zu dem wir fahren müssen, ich will sehen, daß ich früher zurückkomme. Die Unruhe wird mich nicht bleiben lassen.«

»Es sind nur ein paar Stunden«, sagte ich.

»Das ist lange genug«, sagte er. »Ich kann von den Kindern einfach nicht getrennt sein, ich denke immer an sie, auch in der Fabrik denke ich an sie. Wir leben nur für unsere Kinder, wir kennen nichts anderes, meiner Frau geht es genauso. Aber Sie werden gut achtgeben auf sie, ich habe volles Vertrauen zu Ihnen, und vielleicht komme ich früher zurück.«

»Ich habe mich eingerichtet«, sagte ich, »ich habe meine Kolleghefte mitgebracht, und von mir aus[2] können Sie länger bleiben.«

Er erhob sich, kippte den Rest des Martini sehr schnell hinunter, schaute zur Uhr und wischte sich mit dem Handrücken über den Mund. Sein Handrücken war breit und behaart, ich sah es, als er mir die Hand auf den Arm legte, als er mich freundlich anblickte und mit gütiger Stimme sagte: »Sie schlafen schon in ihrem kleinen, weißen Bett. Maria ist zuerst eingeschlafen, es ist ein Wunder, daß sie zuerst eingeschlafen ist; aber ich darf jetzt nicht hinaufgehen an ihr kleines Bett, jetzt nicht, denn ich könnte mich nicht mehr trennen. Sie sollen wissen, was wir Ihnen anvertrauen, was wir in Ihre Hände legen – Sie sollen wissen, daß Sie achtgeben auf unsere ganze Liebe.«

Er gab mir seine Hand, eine warme, fleischige Hand, und ich glaubte auch im sanften Druck dieser Hand seine Trauer über die Trennung zu verspüren, den inständigen Schmerz, der ihn jetzt schon ergriffen hatte. In seinem Gesicht zuckte es bis hinauf zu den Augen, zuckte durch sein trauriges Lächeln hindurch, durch die Gedunsenheit und Güte. Und dann erklang ein kleiner Schritt hinter uns, hart und schurfend, kam eine Treppe herab, kam näher, und setzte aus, und das Gesicht des Mannes entspannte sich, als der Schritt aussetzte, wurde weich und ruhig: »Ich habe volles Vertrauen zu Ihnen.«

Wir wandten uns zur gleichen Zeit um, und als ich sie erblickte, wußte ich sofort, daß ich sie bereits gesehen hatte, oder doch jemanden, der so aussah wie sie: blond und schmalstirnig und sehr jung; auch den breiten, übergeschminkten Mund hatte ich in Erinnerung und das schmale, schwarze Kreuz, das sie am Hals trug. Sie nickte flüchtig zu mir herüber, flüchtigen Dank für mein Erscheinen; sie stand reglos und ungeduldig da, ein Cape in der Hand, darunter baumelnd eine Tasche, und der untersetzte Mann mit der gütigen Stimme nahm seinen bereitgelegten Mantel auf, winkte mir zu, winkte mit der Hand seinen Kummer und sein Vertrauen zu mir herüber und ging. Die sehr junge Frau drehte ihm den kräftigen Rücken zu, stumme Aufforderung, er nahm das Cape, legte es um ihre Schultern, und jetzt erklang der harte, schurfende Schritt, entfernte sich, wurde noch einmal klar, als sie über die Steinplatten der Terrasse gingen, und verlor sich auf dem Sandweg.

Ich sah durch das Fenster, erkannte, wie zwei Autoscheinwerfer aufflammten, deren Licht drüben in den Zaun fiel, ich hörte den Motor anspringen, sah die Scheinwerfer wandern, kreisend am Zaun entlang nach der Ausfahrt suchen, und nun blieben sie stehen. Der Mann stieg aus und kam zurück, entschuldigte seine Rückkehr durch gütiges Lächeln, mit seiner Trauer über die Trennung, und er schrieb eine Telefonnummer auf einen Kalenderblock, riß das Blatt ab, legte es vor mich hin und beschwerte es mit einem Zinnkrug. »Falls doch etwas passiert«, sagte er, »falls. Sie schlafen zwar fest in ihrem kleinen, weißen Bett, es besteht kein Grund, daß sie aufwachen, alles nur für den Fall . . . Sie brauchen nur diese Nummer zu wählen. Sie sollen wissen, was wir Ihnen anvertrauen.« Er entschuldigte sich abermals, lauschte zur Treppe hinauf und ging.

Ich wartete, ich saß da und wartete, daß sie noch einmal zurückkämen, aber die Scheinwerfer tauchten nicht mehr auf; vor mir lag die Telefonnummer, unterstrichen und eingekastelt auf dem Blatt, mit dem fleckigen Zinnkrug beschwert. Ich starrte auf die Telefonnummer – »falls doch etwas passiert, falls« –, ich zog das Blatt hervor, legte es auf die äußerste Tischkante, dann kramte ich die Hefte aus der Mappe hervor, schichtete sie auf – »Sie wissen, was wir Ihnen anvertrauen« – und versuchte zu lesen. Ich blätterte in den Kollegnotizen: Stichworte, in Eile abgenommene Jahreszahlen, zusammen-hanglose Wendungen, und immer wieder Ausrufungszeichen, immer wieder – welchen Sinn hatten sie noch? Nichts wurde deutlich, kein Zusammenhang entstand; ich empfand zum ersten Mal die Sinnlosigkeit des Mitschreibens in der Vorlesung, all die verlorene, fleißige Gläubigkeit, mit der ich die Hefte voll-geschrieben hatte.

Drüben am Fenster ging das Telefon. Ich erschrak und sprang auf und nahm den Hörer ab; ich führte ihn langsam zum Ohr, wartete, unterdrückte den Atem, und jetzt hörte ich eine Männerstimme, keine gütige Stimme, sondern knapp, vorwurfsvoll: »Milly, wo warst du, Milly? Warum hast du nicht angerufen, Milly? Hörst du, Milly?« Und nun schwieg die Stimme, und ich war dran. Ich sagte nur »Verzeihung«, ich konnte nicht mehr sagen als dies eine Wort, aber es genügte: ein schmerzhaftes Knacken erfolgte, die Leitung war tot, und ich ließ den Hörer sinken. Doch nun, da ich ihren Namen kannte, wußte ich auch, wo ich sie gesehen hatte: ich hatte sie beim Friseur gesehen, in einem der fettigen, zerlesenen Maga-zine, unter dem Schnappen der Schere und dem einschläfernden Wohlgeruch, Milly: kräftig, blond und schmalstirnig, und ein neues Versprechen für den Film.

Die Buchenscheite im Kamin knisterten, und der zuckende Schein des Feuers lief über den Fries auf dem Kaminsims, lief über den grob geschnitzten Leidensmann[3] und seine grob geschnitzten Jünger, die ausdrucksvoll in die Zeit lauschten mit

herabhängenden, resignierten Händen. Ich steckte mir eine
Zigarette an und ging zu meinen Heften zurück; ich schloß die
Hefte und legte sie auf einen Stapel und beobachtete das
Telefon; gleich, dachte ich, würde er anrufen, der Mann mit
der gütigen Stimme, gleich würde er in freundlicher Besorgnis
fragen, ob die Kinder noch schliefen, seine einzige Liebe; wenn
er am Ort des Jubiläums ist, dachte ich, wird er anrufen. Und
während ich das dachte, erklang ein Kratzen an der Tür oben,
hinter der Balustrade, und dann hörte das Kratzen auf, der
Drücker bewegte sich, ging heftig auf und nieder, so, als
versuchte jemand, die Tür gewaltsam zu öffnen; aber an-
scheinend mußte sie verschlossen sein, denn so heftig auch am
Drücker gerüttelt wurde, die Tür öffnete sich nicht.

Ich drückte die Zigarette aus, stand da und sah zur Tür
hinauf, und auf einmal drang ein Klageton zu mir herab, ein
flehender, unverständlicher Ruf, und wieder war es still – als ob
der, der sich hinter der Tür bemerkbar zu machen versuchte,
seiner Klage nachlauschte, darauf hoffte, daß sie ein Ziel traf.
Ich rührte mich nicht und wartete; die Klage hatte mich nicht
zu betreffen, ich war da, um die Kinder zu hüten; aber jetzt
begann ein Trommeln gegen die Tür, verzweifelt und unregel-
mäßig, ein Körper warf sich mit dumpfem Aufprall gegen das
Holz, stemmte, keuchte, Versuch auf Versuch, in panischer Auf-
lehnung. Ich stieg langsam die geschwungene Treppe hinauf bis
zur Tür, ich blieb vor der Tür stehen und entdeckte den
Schlüssel, der aufsteckte, und ich horchte auf die furchtbare
Anstrengung auf der andern Seite. Nun mußte er sich abgefunden haben drüben, ich vernahm seine klagende Kapitulation,
den schnellen Atem seiner Erschöpfung, er war fertig, er gab
auf.

In diesem Augenblick drehte ich den Schlüssel herum. Ich
schloß auf, ohne die Tür zu öffnen; ich beobachtete den
Drücker, aber es dauerte lange, bis er sich bewegte, und als er
niedergedrückt wurde, geschah es behutsam, prüfend, fast
mißtrauisch. Ich wich zurück bis zur Balustrade, die Tür
öffnete sich, und ein alter Mann steckte seinen Kopf heraus.
Er hatte ein unrasiertes Gesicht, dünnes Haar, gerötete Augen,
und er lächelte ein verworrenes, ungezieltes Lächeln, das

Lächeln der Säufer. Überraschung lag auf seinem Gesicht, ungläubige Freude darüber, daß die Tür offen war; er drückte sich ganz heraus, lachte stoßweise und kam mit ausgestreckten Händen auf mich zu.

»Danke«, sagte er, »vielen Dank.«

Er steckte sich sein grobes Leinenhemd in die Hose, horchte den Gang hinab, wo die Kinder schliefen, und machte eine Geste der Selbstberuhigung. »Sie schlafen«, sagte er, »sie sind nicht aufgewacht.« Dann stieg er vor mir die Treppe hinab, Schritt für Schritt, hielt seine Hände über das Kaminfeuer, streckte sie ganz aus, so daß ich das tätowierte Bild eines Segelschiffes über dem Gelenk erkennen konnte, und während er nun seine Hände zu reiben begann, sagte er: »Sie sind von Bord,[4] sie sind beide weggefahren, ich habe es vom Fenster gesehen.«

Er richtete sich wieder auf, sah sich prüfend um, als wollte er feststellen, was sich verändert habe, seit er zum letzten Mal hier unten war, prüfte die Gardinen, das Kaminbesteck und die Lampen, bis er auf einem kleinen Tisch die Martiniflasche entdeckte und die beiden Gläser. Ohne den Inhalt zu prüfen, entkorkte er die Flasche, stieß den Flaschenhals nacheinander in die Gläser und schenkte ein.

»Soll ich ein neues Glas holen?« sagte ich.

»Laß man«,[5] sagte er, »das Glas hier ist gut. Daraus hat nur mein Sohn getrunken. Ich brauche kein neues Glas.«

Er forderte mich auf, mit ihm zu trinken, kippte den Martini in einem Zug runter und füllte gleich wieder nach.

»Jetzt mach ich Landurlaub«, sagte er, »jetzt sind sie beide weg, und da kann ich Urlaub machen. Wenn sie da sind, darf ich mich nicht zeigen an Deck. Trink aus, Junge, trink.« Er stürzte das zweite Glas runter, füllte gleich wieder nach und kam auf mich zu und lächelte.

»Dank für den Urlaub, Junge«, sagte er. »Sie lassen mich sonst nicht von Bord, mein Sohn nicht, seine Frau nicht, keiner läßt mich raus. Ich habe einen tüchtigen Sohn, er ist mehr geworden als ich, er hat eine eigene Fabrik, und ich bin nur Vollmatrose gewesen. Darum lassen sie mich nicht raus, Junge, darum haben sie mir Landverbot gegeben. Sie haben

Angst, sie haben eine verfluchte Angst, daß mich jemand sehen könnte, und wenn sie Besuch haben, schieben sie mir eine Flasche rein. Und ich kann nicht mehr viel vertragen.«

»Darf ich Ihnen eine Zigarette geben?« sagte ich.

»Laß man«, sagte er und winkte ab.

Der Alte setzte sich hin, hielt das Glas zitternd mit beiden Händen vor der Brust, zog es in kleinen Kreisen unter seinem gesenkten Gesicht vorbei, und dabei brummelte und summte er in sanfter Blödheit vor sich hin. Nach einer Weile hob er den Kopf, blickte mich versonnen über den Glasrand an und trank mir zu. »Trink aus, Junge, trink«, und er legte seinen Kopf so weit nach hinten, daß ich fürchtete, er werde umkippen; aber gegen alle Schwerkraft pendelte sein Oberkörper wieder nach vorn, fing sich, balancierte sich aus.

Das Telefon schreckte uns auf; wir sprangen hoch, der Alte an mir vorbei zum Treppenabsatz, zutiefst erschrocken, mit seinen Armen in der Luft rudernd, bis er auf das Geländer schlug und sich festklammern konnte.

Ich nahm den Hörer ab, ich glaubte zu wissen, wer diesmal anrief, doch ich täuschte mich: es war Milly, die sich meldete, die mit sehr ruhiger Stimme und nebenhin fragte: »Ist mein Mann schon da?«

»Nein«, sagte ich, »nein, er ist noch nicht da.«

»Er wird gleich da sein, er ist schon unterwegs. Wurde angerufen?«

»Ja«, sagte ich.

»Danke.«

Ich wollte etwas sagen, aber sie hatte aufgelegt, und während ich auf den Hörer in meiner Hand blickte, schwenkten zwei Scheinwerfer in jähem Bogen auf die Einfahrt zu, schwenkten über die Zimmerdecke und kreisend an der Wand entlang: das Auto kam den Sandweg herauf. Auch der Alte hatte das Auto gesehen, er mußte auch begriffen haben, was am Telefon gesagt worden war, denn als ich den Kopf nach ihm wandte, stand er bereits oben vor seinem Zimmer und machte mir eilige Zeichen. Ich lief die Treppe hinauf und wußte, daß ich es seinetwegen tat. »Zuschließen«, sagte er hastig, »sperr mich ein, Junge, schließ zu.« Und er ergriff meine Hand und drückte sie fest, und dieser Dank war aufrichtig. Ich drehte den Schlüssel um, ging hinab und setzte mich an den Tisch, auf dem meine Hefte lagen. Ich schlug ein Heft auf und versuchte zu lesen, als ich schon die Schritte auf den Steinplatten der Terrasse hörte.

Er kam zurück, vorzeitig; von Ungeduld und Liebe gedrängt, kam er viel früher zurück, als ich angenommen hatte, und bevor er noch bei mir war, hörte ich die gütige Stimme fragen: »Waren sie alle brav?« Und ohne meine Antwort abzuwarten, schlich er, mit Schal und Mantel, nach oben. Ich hörte ein Schloß klicken, hörte es nach einer Weile wieder, und jetzt kam er den Gang herab, überwältigt von Glück, kam am Zimmer des Alten vorbei und über die Treppe zu mir. Er legte die kurze, fleischige Hand auf meinen Arm, seufzte inständig vor Freude und sagte: »Sie schlafen in ihrem kleinen Bett«, und als Höflichkeit mir gegenüber: »Sie waren doch alle brav, meine Lieben?«

»Ja«, sagte ich, »sie waren alle brav.«

Nur auf Sardinien

Das Flußbett war leer. Es war leer und weiß und mit trockenen, flachen Kieseln bedeckt, und es hatte steile, zerrissene Böschungen und war wasserlos bis hinauf zu den Bergen. Das Flußbett war tief eingeschnitten ins Gestein und machte jähe Biegungen, und Vittorio ging langsam das Flußbett hinauf und blieb vor jeder Biegung stehen: es war Abend, die Berge hatten ihre Schatten, und als Vittorio in die Schatten geriet, begann er zu frieren. Er trug noch immer das leichte Flanellzeug, das sie ihm in Mammone gegeben hatten; das Lager in Mammone war von Marmorbrüchen umgeben, gelb, staubig und heiß, und das Zeug, das er trug, war nur gut für die flimmernden Marmorbrüche, es war zu leicht für die Schatten und den Wind der Berge.

Mehr als sechzig Meilen hatte Vittorio zurückgelegt, er hatte sich im Gestrüpp der Macchia[1] verborgen, in den schwarzen, runden Steinhäusern der Hirten; er hatte nachts die Schlucht von Aranca durchquert und war am Mittag auf das leere Flußbett gestoßen: er kannte das Flußbett, er wußte, wohin es führte, wohin es ihn bringen würde. Und er ging langsam über die flachen Kiesel, ging geduckt und blieb vor jeder Biegung stehen, und als er die sieben Steine erreicht hatte, konnte er das Dorf sehen.

Das Dorf lag auf einem Plateau: es hatte eine weiße Kirche, einen freien, staubigen Platz vor der Kirche und zweimal zwanzig Hütten. Neben den Hütten standen staubbedeckte Opuntien, und weit unter ihnen leuchtete rötlicher Fels. Der Platz vor der Kirche war verlassen, das ganze Dorf schien verlassen, nur in einem größeren Haus brannte Licht, und dieses Haus lag für sich da und war von Zedern umschlossen, und Vittorio wußte, daß es das Haus von Don Poddu war. Er verließ das Flußbett, legte sich der Länge nach auf den Boden

und beobachtete das Dorf, er beobachtete die schmale, geteerte
Straße, die zum Dorf hinaufführte, die staubige Plaza[2] und das
Haus unter den Zedern, und während er auf der Erde lag und
beobachtete, wurde er angerufen. Vittorio kannte die Stimme,
die ihn anrief, sie war ihm vertraut, obwohl er sie vier Jahre
nicht gehört hatte, und er erhob sich beim Anruf und trat
hinter die sieben Steine. Er sah, daß alle gekommen waren,
neun Männer standen hinter den Steinen; sie trugen gelbes und
braunes Manchesterzeug und Ballonmützen, an den Beinen
trugen sie hohe, staubgepuderte Gamaschen, und jeder von
ihnen hatte eine großkalibrige Schrotflinte. Es waren ältere
Männer. Sie begrüßten Vittorio, sie reichten ihm die Hand, sie
umarmten ihn nachlässig und schweigend und befahlen ihm,
sich mit dem Rücken gegen einen Stein zu setzen.

»Wir wußten, daß du kommst«, sagte Sandro. »Wir wußten
es. Noch bevor du an der Schlucht warst, ließ Don Poddu das
Tor schließen. Noch bevor du an der Schlucht warst, hat er
zwei Leute mit Flinten an die Dachluken geschickt. Alle
wußten, daß du geflohen und unterwegs warst.«

»Ich werde ihn nicht töten«, sagte Vittorio. »Ich bin nicht
zurückgekommen, um ihn zu töten. Ich habe dreizehn Jahre
für ihn gearbeitet, und ich war ein guter Hirte. Ihr wißt, daß
ich ein guter Hirte war. Es war nicht meine Schuld, daß das
Schaf abstürzte. Es ist durch eigene Schuld abgestürzt, und ich
sah es unterhalb des Passes mit gebrochenem Rückgrat liegen.
Ihr wißt, daß ich die Wahrheit sage. Wer mit euch redet,
wird immer die Wahrheit sagen. Ich habe auch Don Poddu
die Wahrheit gesagt, aber als wir hinausgingen und das
abgestürzte Schaf suchten, war es verschwunden, und Don
Poddu glaubte, ich hätte das Schaf verkauft. Und ihr erinnert
euch, daß er mich an eine Zeder hängen ließ. Und da sagte ich,
daß ich es verkauft hatte, aber ich sagte es nur, weil sie mich
sonst wirklich aufgehängt hätten, und ihr wißt, daß sie mich
dann für acht Jahre nach Mammone brachten. Aber ich bin
schon nach vier Jahren zurückgekommen, und ihr sollt sagen,
was richtig ist und was ich tun soll.«

Die Männer schickten ihn in das Flußbett zurück; Vittorio
lehnte sich gegen die Böschung und wartete, und er hörte aus

der Ferne ihre Stimmen, ihre murmelnde Beratung, und wußte, daß sie von ihm sprachen. Der Abend ging vorüber, es wurde Nacht, und Vittorio hörte immer noch die Männer sprechen, er konnte nicht verstehen, was sie sagten; er rieb seine Hände und Kniegelenke warm und wartete. Dann tauchte Sandro über der Böschung auf, Vittorio sah ihn groß und unbeweglich gegen den Nachthimmel dastehen; Sandro hielt seine Flinte am Lauf und sagte nur: »Du bleibst hier«, und Vittorio wußte, daß sie ihm vertrauten. Er tastete nach Sandros Fuß, um sich zu bedanken, aber er fand den Fuß in der Dunkelheit nicht, er fühlte nur, wie Sandro seine Flinte die Böschung hinabrutschen ließ und nach der Flinte den Patronengurt, und Vittorio fing beides auf und sagte: »Gut, Sandro.«

»Wir werden mit Don Poddu reden«, sagte Sandro, »zwei werden heute nacht mit ihm reden. Don Poddu soll dir Geld geben für die Zeit in Mammone, und morgen wirst du ins Dorf zurückkommen und bei uns bleiben.«

Sandro ging zu den anderen zurück, die bei den Steinen standen, und Vittorio war allein im Flußbett; er legte den Patronengurt auf die Erde und lehnte die Flinte gegen die Böschung. Er hörte, wie die Männer zum Paß hinunterstiegen, aber er konnte sie nicht mehr erkennen. Er beobachtete, hinter einem Stein liegend, das Haus von Don Poddu, er beobachtete es so lange, bis für einen Augenblick ein breiter Lichtschein zu sehen war, und da wußte er, daß die beiden Männer durch Don Poddus Tür gegangen waren, um in seiner Sache zu sprechen. Er wußte nicht, welche Männer Sandro bestimmt hatte, vielleicht, dachte er, war es Sandro selbst, der mit einem anderen für ihn sprach; er versuchte, sich ihre Worte vorzustellen und ihre Gesichter, und er dachte an die Augen von Don Poddu.

Vittorio wußte, daß jeder dem Spruch des Tribunals nachkam; solange er denken konnte, hatte sich niemand gegen das Tribunal der Berge aufgelehnt, auch Don Poddu würde sich seinem Spruch unterwerfen, auch der jähzornige, einsame Mann mit den entzündeten Augen. Und während Vittorio das Plateau beobachtete, dachte er an Don Poddu, er sah ihn in Stiefeln mit silbernen Knöpfen unter den Zedern stehen, eine Axt in der Hand; er sah, wie Don Poddu die Axt hob und sie alle, die um

ihn herumstanden, aus seinen entzündeten Augen ansah, und
dann duckten sie sich, als der riesige Mann die Axt schwang
und sie zwölfmal mit ungeheurer Kraft gegen eine Zeder
schlug, und sie liefen auseinander, um von dem stürzenden
Baum nicht getroffen zu werden. Und Vittorio erinnerte sich,
wie Don Poddu lachte und ihnen befahl, näher heranzukom-
men, und als sie bei ihm standen, verlangte er, daß sie es nach-
machen sollten – aber niemand wagte es, weil es niemand
geschafft hätte.

Vittorio sah auch, wie sie ihn eines Tages nach der Mufflonjagd[3] über die Veranda trugen, mit einem Schuß in der Schulter, und niemand konnte sich erklären, woher der Schuß gekommen war. Sie hatten geglaubt, daß Don Poddu sich von
dem Schuß niemals erholen werde, aber er war schon nach vier
Monaten wieder zu sehen, nur sein linker Arm taugte nichts
mehr. Von da ab ließ er sich nur noch auf der Veranda sehen;
man munkelte viel über den Schuß, man glaubte sogar, daß
Don Poddu wüßte, woher der Schuß gekommen war, aber
etwas Genaues konnte man nicht erfahren. Don Poddu ließ
sich nie mehr auf den Feldern sehen und in den Bergen; er
wurde mißtrauisch, vorsichtig und hinterhältig, und Vittorio
versuchte, sich seine Augen vorzustellen, mit denen er jetzt die
beiden Männer ansah. Und er dachte, daß Don Poddu sich
dem Spruch unterwerfen würde, er würde ihm eine Entschädi-
gung für die Zeit in Mammone geben: Vittorio wartete auf den
Morgen, um ins Dorf hinunterzugehen.

Er holte die Flinte und den Patronengürtel aus dem Flußbett
herauf, hockte sich hinter den Steinen hin; er zog seine Knie
nah an den Leib heran, umfing sie mit seinen Armen; er legte
den Kopf nach vorn und versuchte zu schlafen, und als die
Sonne um die Berge herumkam, legte er sich flach auf den
Boden und sah zum Dorf hinunter. Und nach einer Weile hörte
er Motorengeräusch vom Paß her, er blickte auf die geteerte
Straße, die zum Dorf lief; er blickte auf einen Knick der Straße,
wo sie ohne Mauerschutz war und steil abfiel, und da sah er vier
Motorräder hintereinander aus dem Knick herausschießen. Auf
den Motorrädern saßen vier Karabinieri,[4] sie trugen Maschinenpistolen vor der Brust, sie fuhren schnell und sicher die geteerte

Straße zum Dorf hinauf und hielten unter den Zedern von Don
Poddus Haus. Drei von ihnen gingen in das Haus hinein,
Vittorio sah, daß ihnen von innen geöffnet wurde, er schob sich
langsam hinter die Steine zurück und schnallte den Patronengurt um. Es dauerte lange, bis die Karabinieri das Haus verließen. Aber sie verließen es nur für einen Augenblick, sie gingen.
nur zu den Motorrädern und schoben sie unter die Veranda;
dann wurden Stühle auf die Veranda hinausgetragen, und die
Karabinieri setzten sich an einen Tisch. Vittorio erkannte noch
einen fünften Mann, und er wußte, daß es Don Poddu war und
daß sich Don Poddu dem Spruch nicht unterworfen hatte. Er
hatte die Karabinieri ins Dorf geholt; vielleicht wußte er, daß
Vittorio sein Haus beobachtete, vielleicht wollte er ihm, da sie
auf der Veranda saßen, zu erkennen geben, daß er gewarnt und
bereit wäre und daß die Karabinieri bald mit der Jagd beginnen
würden.

Vittorio hörte ein Geräusch im Flußbett, hörte den klickenden Zusammenstoß von Kieselsteinen, und er zog die Flinte in
die Hüfte ein und trat hinter einen Felsvorsprung. Er konnte
den weißen, leeren Boden des Flußbettes sehen und wartete. Er
hörte, wie jemand das Flußbett heraufkam, denselben Weg,
den er auch gegangen war, und er hob langsam die alte Flinte
und richtete sie auf die Mitte des Flußbetts. Aber dann sah er
zwei nackte Füße über die Kiesel gleiten, erkannte einen Korb
und einen Arm, der den Korb trug, und er sah einen Rock und
den Körper eines Mädchens, und im nächsten Augenblick erkannte er das Mädchen. Es war Maddalena. Sie kam mit einem
Korb zu ihm herauf, ein barfüßiges Mädchen mit langem, ge-
fettetem Haar und einem kurzen Peitschenstock in der freien
Hand. Sie war nicht erstaunt, als Vittorio hinter dem Felsen
hervorkam, sie setzte den Korb auf die Erde und lachte, und
dann ging sie zu ihm und begrüßte ihn. Sie setzten sich hinter
die Steine, Maddalena packte aus ihrem Korb Käse aus und
Brot und einen gebratenen Fisch, und sie bog den Peitschenstock mit beiden Händen zusammen und sah zu, wie Vittorio aß.

Während Vittorio aß, blickte er aufs Plateau hinab, zur
Veranda von Don Poddus Haus, und er sah, daß auch die
Karabinieri aßen, und mit ihnen Don Poddu.

»Du bist größer geworden«, sagte Vittorio zu dem Mädchen. »Du bist allerhand gewachsen in den letzten Jahren.«

Das Mädchen lachte und ließ den Stock vorschnellen, und es gab ein sausendes Geräusch.

»Als ich wegging«, sagte Vittorio, »warst du so groß wie meine Schwester. Es ist allerhand geworden aus dir in den letzten Jahren. Wie alt bist du?«

»Neunzehn«, sagte Maddalena.

Vittorio suchte im Korb nach der Weinflasche; er fand sie und entkorkte die Flasche und trank, und nachdem er getrunken hatte, legte er sie neben die Flinte und sagte: »Es ist gut, daß du gekommen bist, Maddalena. Es war höchste Zeit. Wirst du wiederkommen?«

»Ja«, sagte das Mädchen, »ja, ich werde wiederkommen. Sandro hat mich raufgeschickt. Er sagt, daß Don Poddu gestern nacht bereit war, dir für die Zeit in Mammone Geld zu geben. Aber heute morgen sind die Karabinieri gekommen. Er hat sie nachts holen lassen.«

»Unkraut vergeht nicht«,[5] sagte Vittorio. »Wann wirst du wiederkommen?«

»Morgen«, sagte Maddalena.

»Kannst du nicht früher? Du könntest heute abend kommen.«

»Es ist nicht gut«, sagte das Mädchen, »es ist nicht gut, Vittorio, wenn ich heute abend komme. Die Karabinieri haben gesehen, daß ich das Flußbett raufging. Es ist nicht gut, wenn sie mich nochmal sehen. Ich bringe dir morgen einen neuen Korb. Ich werde weggehen, wenn es noch dunkel ist, und ich bin ganz früh hier oben.«

»Es ist kalt in der Nacht«, sagte Vittorio, »ich habe nur das leichte Flanellzeug, und das taugt nichts für die Nacht und die Berge. Wenn du heute wiederkämst, könntest du mir meine Stiefel bringen und die Jacke für die Nacht. Ich werde auf dich warten.«

Das Mädchen lachte und stand auf; sie nahm den leeren Korb auf und kletterte die zerrissene Böschung hinab ins Flußbett.

»Kommst du?« rief Vittorio, und das Mädchen legte den kurzen Peitschenstock in den Korb und ging über die weißen

Kiesel davon. Vittorio blieb stehen und sah ihr nach; er dachte, daß sie sich umdrehen werde, aber sie verschwand hinter einer Biegung, ohne zurückgesehen zu haben. Vittorio nahm die Flinte und die Flasche und stieg ebenfalls in das Flußbett, er ging eine ganze Strecke hinauf, bis er vor einem Felsen stand, den der Fluß unten ausgewaschen hatte. Er zwängte sich auf dem Bauch durch die Öffnung und gelangte in eine Grotte; er war oft hier gewesen. Er fand die Ecke mit dem Gestrüpp; er zog das Gestrüpp zurecht und legte sich hin, und Vittorio schlief bis in den späten Nachmittag.

Als er die Grotte verließ, entdeckte er Maddalena. Sie saß bei den sieben Steinen, und vor ihr, auf der Erde, lagen Vittorios Stiefel und seine Jacke; sie war gekommen, und er lächelte, als er sie vor den Steinen sah.

»Du bist doch gekommen«, sagte er.

Sie tippte mit der Peitsche auf die Stiefel und auf die Jacke. »Ich habe lange gewartet«, sagte sie. »Ich müßte jetzt schon zurück sein, ich hab nicht viel Zeit.«

Vittorio zog seine Stiefel an und die Jacke und schnallte den Patronengurt über die Jacke, weil die Knöpfe fehlten. »Ich habe Zeit«, sagte er, »ich kann warten. Jetzt werde ich bis zum nächsten Mal warten, bis du wiederkommst. Ich warte gern auf dich, Maddalena. Es ist allerhand geworden aus dir in den letzten Jahren.«

»Es sind viele Karabinieri im Dorf«, sagte das Mädchen. »Sie sind mittags mit einem großen Auto gekommen. Ihr Auto steht auf dem Hof von Don Poddu. Sie sind gekommen, und Sandro hat mich raufgeschickt.«

Vittorio kletterte über das Geröll und legte sich vor den Steinen flach auf den Boden, und er sah fast zwanzig Karabinieri den Berg heraufkommen, weit auseinandergezogen; alle trugen Maschinenpistolen. Er hörte sein Herz gegen den Steinboden klopfen, als er so lag und ihnen entgegenblickte, und er schob sich langsam zurück; er stieg auf einen Felsen und sah das Flußbett hinunter, auch dort sah er Karabinieri: sie gingen aufrecht und langsam, sie warteten hinter keiner Biegung.

»Jetzt kommen sie«, sagte das Mädchen, »es sind viele.«

»Ja«, sagte er, »jetzt kommen sie. Es hat nicht lange ge-
dauert.« Und er zog einige Patronen aus dem Gürtel und
steckte sie lose in die Jackentasche.

»Du mußt hierbleiben«, sagte Vittorio. »Du darfst jetzt nicht
fortgehen, Maddalena. Sie kommen von beiden Seiten den
Berg herauf. Wenn sie dich treffen, wissen sie, daß du bei mir
warst.«

»Es sind viele, Vittorio, sie werden den ganzen Berg ab-
suchen und dich finden. Du hast gesehen, wie viele es sind.«

»Sie werden heraufkommen und wieder hinuntergehen«,
sagte Vittorio, »und sie werden genausoviel sein wie beim
Aufstieg. Aber du mußt hierbleiben, Maddalena, sie dürfen
dich nicht sehen.«

Er brachte sie zu der Stelle hinauf, wo das Flußbett unter den
Fels führte, und beide legten sich auf den Boden und zwängten
sich durch den Eingang in die Grotte. Es war feucht und kalt in
der Grotte; sie war nicht allzu geräumig, man konnte kaum
aufrecht stehen in ihr, aber sie setzte sich weit in den Berg
hinein fort, und zum Schluß wurde sie so eng, daß ein Mensch
steckenblieb. Sie gingen nicht weit in die Grotte hinein, sie
setzten sich auf das Gestrüpp, auf dem Vittorio geschlafen
hatte und warteten. Vittorio hatte die Flinte auf den Knien und
beobachtete den Eingang, und das Mädchen saß neben ihm,
ihre Schulter berührte seine Schulter, sie saßen reglos wie
Vögel zusammen, bis sie die Stiefel der Karabinieri auf den
Kieseln des Flußbettes hörten. Vittorio erhob sich und ging
leise zum Eingang und stellte sich seitwärts neben ihn, und
Maddalena sah, daß er die Flinte umkehrte und den Lauf in die
Hand nahm.

Sie erkannte, daß Vittorio lächelte, er lächelte schnell, unsicher, als ob er sich bei ihr entschuldigen wollte für das, was
kommen könnte. Die Stiefel der Karabinieri tauchten vor dem
Eingang auf, es waren weiche, geölte Stiefel, sie schoben sich
jetzt zögernd über die flachen Kiesel des Flußbetts, als hätten
sie ihr Ziel fast erreicht. Die Karabinieri kletterten die zerrissene Böschung hinauf und gingen um die sieben Steine herum
und unterhielten sich, aber ihre Worte waren in der Grotte
nicht zu verstehen. Allmählich entfernten sich ihre Stimmen, es

entfernte sich der Hall ihrer Schritte, und nach einer Weile war nichts mehr von ihnen zu hören. Vittorio blieb immer noch neben dem Eingang stehen, er wartete darauf, daß die Karabinieri zurückkehrten und daß einer seinen Kopf durch den Spalt steckte, aber offenbar hatten sie einen anderen Weg genommen, denn der Abend kam, und ihre Schritte waren immer noch nicht zu hören.

Da beschloß Vittorio, selbst hinauszuklettern und nachzusehen, wo die Karabinieri geblieben waren; er trat vor die Öffnung und beugte seinen Kopf herab, aber im gleichen Augenblick trat er wieder zur Seite und machte Maddalena ein Zeichen, daß sie nicht allein waren hier oben.

Nach einer Weile hörten sie Schritte vor dem Eingang; ein Karabiniere kam auf sie zu, und dann sahen sie, daß er sich auf seine Hände herabließ; sie sahen einen einfachen silbernen Ring an einer Hand. Der Karabiniere legte sich hin und preßte die Maschinenpistole gegen die Brust. Sein Kopf erschien vor dem Eingang, schob sich langsam herein; es war ein schmächtiger, gutrasierter Junge, und als er seinen Oberkörper fast in der Grotte hatte, hieb ihm Vittorio den Kolben seiner Flinte ins Genick. Er traf ihn genau zwischen Hals und Schulter, der Karabiniere schlug mit dem Gesicht auf die Steine und blieb liegen. Vittorio stellte seine Flinte gegen den Fels und zog den Karabiniere in die Grotte hinein, zog ihn bis zum Gestrüpp hinauf und drehte ihn auf den Rücken. Sein Gesicht blutete, aber es waren nur kleine Rißwunden, es war ihm nichts Schlimmes passiert, nichts, was ihn zeitlebens an den Kolbenhieb erinnern würde. Maddalena stand auf und holte die Maschinenpistole, die am Eingang liegengeblieben war; sie stellte sie in die Ecke, wo schon die Flinte stand, und kniete vor dem bewußtlosen Karabiniere und betrachtete sein Gesicht. Es war ein schmales, hübsches Gesicht mit einem dünnen, sauberen Bärtchen auf der Oberlippe, und sie wischte eine Blutspur ab und sagte:

»Es ist gut, daß du nicht geschossen hast, Vittorio. Aber er wird nicht lange so liegen. Er wird bald aufwachen, Vittorio, dann müssen wir fort sein. Wir können nicht hierbleiben.«

»Er ist der einzige, der hier oben war«, sagte Vittorio. »Sie haben ihn allein zurückgelassen und sind wieder ins Dorf gestiegen. Wir könnten hierbleiben. Aber es ist besser, wenn wir fortgehen, Maddalena. Es ist in jedem Fall besser. Wir werden auf die andere Seite des Berges gehen.«

Sie ließen den Karabiniere liegen und verließen die Grotte; sie wußten, daß er bald zu sich kommen würde, sie machten sich keine großen Sorgen um ihn. Sie ließen auch seine Maschinenpistole zurück und gingen wortlos auf die andere Seite des Berges; es war dunkel, als sie zu der kleinen, geschwärzten Hütte Zappis kamen, sie lag auf halbem Berg und war von trockenem, hüfthohem Gestrüpp umgeben. Es war eine Hirtenhütte. Sie fanden nichts als eine kalte Feuerstelle, die Hütte war lange nicht gebraucht worden, denn es hatte lange nicht geregnet.

»Jetzt werde ich gehen«, sagte Maddalena. »Ich werde jetzt ins Dorf gehen, und morgen früh werde ich wiederkommen. Ich werde den Korb bei der alten Pinie hinstellen. Dort wird er stehen, wenn du kommst. Du wirst ihn dort immer finden, Vittorio.«

»Ich werde den Korb finden«, sagte Vittorio, »aber ich werde dich nicht finden.«

»Es ist wichtiger, daß du den Korb findest«, sagte Maddalena.

»Nein«, sagte Vittorio, »das ist nicht wichtiger. Warum bleibst du nicht hier? Du kannst in der Hütte schlafen, Maddalena, ich bleibe draußen. Es ist gut für mich, wenn du hierbleibst. Manchmal will man etwas sagen, und da ist es gut, wenn jemand da ist, der zuhört. Es gibt nichts Schlimmeres, Maddalena, als wenn man etwas sagen möchte, und es ist keiner da, der zuhört. Ein Mann muß von Zeit zu Zeit etwas sagen.« Das Mädchen lachte und stieß mit der Spitze der Peitsche gegen den lockeren Mörtel der Hüttenwand.

»Wenn ich hierbleibe«, sagte sie, »wird niemand den Korb bringen morgen früh. Sandro wird auf mich warten, und die anderen werden auch warten, Vittorio, weil sie mich fragen wollen, was du tust.« Sie standen auf dem freien Platz vor der Hütte, wo das Gestrüpp niedergetreten war, sie standen einander gegenüber und sahen sich an, und dann ging Maddalena zu ihm und küßte ihn.

»Du wirst den Korb an der Pinie finden«, sagte sie. »Du wirst ihn da jeden Tag finden, Vittorio, und ich werde auch da sein. Und wenn ich an einem Tag nicht da sein werde, wirst du mich am anderen Tag finden, aber du darfst nicht schießen, Vittorio. Wenn du schießt, wird es schwer sein.«

»Wirst du morgen kommen?« fragte Vittorio.

»Ja«, sagte Maddalena, »ich werde morgen kommen«, und sie drehte sich um und ging den schmalen Weg hinab, der durch das Gestrüpp und zum Flußbett führte. Vittorio sah ihr nach, bis sie in der Dunkelheit verschwunden war; dann suchte er sich außerhalb der Hütte einen Platz und legte sich hin und dachte an das Mädchen.

Die Hitze des Tages saß noch im Boden, es war eine warme Nacht. Vittorio konnte nicht einschlafen, und er blickte hinauf in die Dunkelheit und dachte an Maddalena, die jetzt das Fluß- bett hinabging, und daß er sie morgen finden würde und an vielen Tagen.

Und Maddalena kam und brachte den Korb zur Pinie, sie kam an vielen Tagen; sie war jeden Morgen da, wenn die Sonne über die Berge ging, und sie saßen auf dem toten, verbrannten Gestrüpp und sahen zum Plateau hinab, auf dem das Dorf lag. Es war nicht so gut zu erkennen wie von den sieben Steinen, aber sie sahen die weiße Kirche und Don Poddus Haus, und im Schatten der Zedern das Auto der Karabinieri. Maddalena wußte oft, welchen Berg die Karabinieri sich vorgenommen hatten, Sandro vergaß Vittorio nicht, und Vittorio sah sie immer schon von weitem den Paß heraufkommen und hatte viel Zeit.

Aber eines Tages kam Maddalena zur Pinie und erzählte, daß sie Don Poddu wieder über die Veranda getragen hätten, dies- mal tot und mit einem Schuß in der Brust, und sie wußte auch, daß der Schuß ihn niedergeworfen hatte, als er über den Hof ging, und trotzdem wußte niemand, woher der Schuß gekom- men war. Die Leute im Dorf sagten, daß Vittorio den Schuß abgefeuert habe, und die Karabinieri glaubten das auch und hatten noch zwanzig Männer kommen lassen für die Jagd auf Vittorio.

»Ich habe nicht geschossen«, sagte Vittorio. »Ich bin nicht

zurückgekommen, um Don Poddu zu töten. Du weißt, daß ich deswegen nicht zurückgekommen bin, Maddalena. Ich habe Sandros Flinte, und die ist nur gut für Schrot.«

»Don Poddu wurde mit Schrot getötet«, sagte Maddalena, »einige haben es gesehen.«

»Ich habe alle Patronen, die Sandro mir gab«, sagte Vittorio. »Es fehlt nicht eine Patrone. Du weißt, Maddalena, daß ich Don Poddu nicht getötet habe. Niemand weiß, wer es war, ich habe es nicht getan.«

»Es sind wieder neue Karabinieri gekommen«, sagte Maddalena. »Fast zwanzig neue sind da, und sie werden dich diesmal finden. Sandro sagt, daß sie eine Prämie ausgesetzt haben auf dich. Sie wollen fünfhunderttausend Lire[6] bezahlen. Wer dich fängt oder tötet, bekommt fünfhunderttausend Lire.«

Vittorio lachte und sagte: »Das ist viel Geld, Maddalena, eine Menge Geld. Wenn du mich ablieferst, geben sie dir fünfhunderttausend Lire. So viel hat keiner im ganzen Dorf, seit Don Poddu tot ist. Du könntest viel anfangen mit dem Geld, Maddalena. Willst du mich nicht abliefern?«

Maddalena drückte ihm die Spitze des Peitschenstocks gegen den Hals, sie sah ihn herausfordernd an und lachte, und nach einer Weile sagte sie: »Du bist teuer geworden, Vittorio. Du bist in der letzten Zeit sehr im Preis gestiegen. Wir könnten das Geld gut gebrauchen. Wir könnten eine Menge kaufen mit dem Geld, wenn sie dich wieder freilassen und du zurückkommst.«

Am Nachmittag kam eine breite Kette von Karabinieri den Berg herauf; sie gingen genau in die Richtung, in der Vittorios Versteck lag, sie gingen in kurzen Abständen von Mann zu Mann, mit entsicherten Maschinenpistolen, und Vittorio sah, daß sie diesmal nicht an ihm vorbeilaufen würden. Er lief geduckt vor ihnen her; sie waren noch weit entfernt, sie hatten ihn noch nicht entdeckt, er bewegte sich in kurzen Sprüngen durch das trockene Gestrüpp, und er stürzte, und dabei wurde ihm die Haut aufgerissen. Die Karabinieri trieben ihn unweigerlich den Berg hinauf, Vittorio konnte ihnen diesmal nicht ausweichen; diesmal jagten sie ihn die nackten Felsen hinauf, wo es wenig gute Verstecke gab; da oben hatte man keine Bewegungsfreiheit.

Es war Abend, als er oben war, aber seine Verfolger kehrten nicht um, sie wollten noch den Berg erreichen und trieben Vittorio auf der andern Seite hinab, auf das Dorf zu. Er mußte, wenn er durchkommen wollte, zum Paß hinunter und dann ins Dorf, es gab keine andere Möglichkeit. Und er sah die Karabinieri näher kommen und machte sich an den Abstieg. Er riß Geröll herab, als er abstieg; nachrutschendes Geröll zwang ihn zu Sprüngen und langen Schritten, er war froh, daß er die Stiefel anhatte. Er sprang über die geteerte Straße und verbarg sich hinter den Opuntien und lauschte. Er war weit genug entfernt von Don Poddus Haus, es lag am Rande des Plateaus, ganz für sich. Vittorio ging zwischen den Opuntien weiter, bis er hinter der Hütte von Maddalena stand, und als er gegen das Fenster klopfte, war es dunkel, und es regnete. Es war ein schwerer, gewitterartiger Regen, und Vittorio hörte, wie er auf die Teerstraße klatschte und gegen die Opuntien. Für einen Augenblick wurde das Fenster aufgestoßen, das Gesicht einer alten Frau erschien, ein flaches, großes Gesicht, ohne Bewegung, und dann schloß die Frau das Fenster und winkte Vittorio von der Tür. Sie zog ihn in ein dunkles Zimmer und ging stumm hinaus. Vittorio wartete auf sie, aber sie kehrte nicht zurück. Er trat an das kleine Fenster heran, er wollte sich an die Wand lehnen und hinaussehen, aber unmittelbar unter dem Fenster saß jemand, und Vittorio spürte, wie sich etwas in seinen Rücken bohrte. Er wußte, daß es der Peitschenstock von Maddalena war, er wußte, daß sie es war, die unter dem Fenster saß, und er sagte:

»Ich wollte nicht kommen, Maddalena, ich wäre nicht gekommen, wenn sie mich nicht auf den Berg getrieben hätten. Ich mußte zu dir kommen, weil unsere Hütte zu nah an Don Poddus Haus liegt. Wenn der Regen vorbei ist, gehe ich wieder. Ich werde nicht lange hierbleiben.«

»Setz dich hin«, sagte Maddalena. Sie zog ihn neben sich herab auf eine niedrige Bank, sie ließ die Peitsche fallen und legte ihm einen Arm um den Hals, und sie saßen schweigend in der Dunkelheit unter dem Fenster. Dann dachte er an Maddalenas Mutter, und daß sie ihm wortlos die Tür geöffnet und ihn wortlos zu dem Mädchen gebracht hatte, und er sagte:

»Deine Mutter hat mich gleich erkannt, Maddalena. Sie wußte gleich, wer ich war, als ich vor dem Fenster stand. Sie hat mich gleich zu dir gebracht.«

»Ja«, sagte Maddalena.

»Ich weiß auch, warum sie kein Wort gesagt hat. Ich kann es mir gut denken, Maddalena. Sie erkannte mich sofort, aber sie hat kein Wort gesagt. Sie hätte mir sonst vielleicht Milchkaffee gebracht, Maddalena, aber heute kommt sie nicht. Steh auf, komm, wir gehen.«

»Du kannst jetzt nicht fortgehen«, sagte Maddalena. »Es regnet, und du hast noch Zeit. Du kannst den Regen hier abwarten.«

»Wir gehen jetzt«, sagte Vittorio. »Es ist gut, daß es regnet. Du wirst dir etwas überziehen, und wir gehen jetzt. Vielleicht werden wir noch einmal zurückkommen.«

Vittorio zog das Mädchen hoch, er nahm seine Flinte und ging zur Tür und wartete, bis Maddalena die Windjacke angezogen hatte; und als er sah, daß sie fertig war, ging er ihr voraus über den Gang und öffnete die Tür. Er hielt die Flinte dicht an seinem Körper, mit dem Lauf nach unten; er hatte sie geladen und einige Patronen lose in die Tasche gesteckt, und er ging geduckt zwischen den Opuntien. Aber er schlug nicht die Richtung zum Paß ein, er ging an den unerleuchteten Hütten vorbei, er ging langsam bis zum Platz, auf den der Regen niederging, und Maddalena folgte ihm. Der Regen verwandelte den Staub des Kirchenplatzes in Schlamm, und sie liefen durch den Schlamm und kamen unbemerkt über den Platz. Vittorio ging bis zu dem kleinen Kirchenanbau, in dem der Priester wohnte; er klopfte schnell gegen die Tür, lauschte, klopfte noch einmal, und nach einer Weile kam der Priester herunter, ein mürrischer, athletischer Mann. Er trug ein kragenloses Hemd, das über der Brust offenstand, hielt mit einer Hand seine Hose zusammen; er hatte schon geschlafen. Er erkannte Maddalena zuerst und wollte etwas sagen, aber Vittorio schob ihn mit seiner Flinte in den Flur zurück und winkte Maddalena, auch in den Flur zu kommen, und als oben auf der Treppe die Wirtschafterin des Priesters auftauchte und rief »Wer ist da?«, sagte Vittorio: »Freunde.«

Sie gingen in das Arbeitszimmer des Priesters, verdunkelten die Fenster, zündeten eine Petroleumlampe an, und dann saßen sie einander ruhig und beobachtend gegenüber, bis der Priester Vittorio erkannte. Er sagte: »Vittorio, warum kommt ihr mitten in der Nacht zu mir. Ihr hättet doch auch morgen kommen können.«

»Wir wollen heiraten«, sagte Vittorio, »wir sind gekommen, damit du uns traust, Vater. Wir haben wenig Zeit.«

»Um diese Zeit«, sagte der Priester, »ist noch keiner gekommen, um zu heiraten. Und ich habe auch noch nie erlebt, daß jemand die Flinte mitbrachte zu seiner Hochzeit. Wie ich sehe, ist sie sogar geladen.«

»Gut«, sagte Vittorio, »die Flinte kann ich für die Zeit auf den Stuhl legen. Da holt sie wohl keiner weg in dem Augenblick, wo wir drüben sind. Und was morgen betrifft, Vater, morgen muß ich längst wieder drüben sein. Ich habe keine Zeit, morgen wiederzukommen. Das weißt du, Vater.«

»Ja«, sagte der Priester, »ja, Vittorio, ich weiß es. Aber mit diesen Füßen laß ich euch nicht rein in die Kirche, macht euch erst sauber auf dem Flur; in der Zwischenzeit werde ich mich anziehen . . .«

»Wirst du uns trauen?« fragte Vittorio.

»Es bleibt mir nichts anderes übrig«, sagte der Priester; er stand auf, sein Schatten bedeckte fast die ganze Wand. Vittorio ließ seine Flinte auf dem Stuhl liegen; er ging mit Maddalena über eine Lehmtreppe in die düstere Kirche, und der Priester traute sie dort.

Dann kamen sie wieder zurück in das Arbeitszimmer, wo immer noch die Petroleumlampe brannte, der Priester hatte sie nicht gelöscht. Er bot ihnen an, noch einen Augenblick bei ihm zu bleiben, er wollte mit ihnen Milchkaffee trinken, aber Vittorio nahm seine Flinte und sagte, daß er keine Zeit habe, er müsse fort. Und sie gingen durch die Opuntien zurück zu der Hütte; sie wollten den Milchkaffee mit Maddalenas Mutter trinken, und als sie die Hütte betraten, stand Maddalenas Mutter im Flur und sagte: »Ich habe uns Kaffee gemacht.«

Sie setzten sich auf die niedrige Bank unter dem Fenster und tranken aus großen Schalen Milchkaffee; Maddalena holte eine

Zigarre, sie hockten zu dritt zusammen und redeten. Bis kurz
vor dem Morgengrauen redeten sie; dann stand Vittorio auf
und sagte: »Du brauchst nicht allen zu erzählen, daß wir
geheiratet haben. Vielleicht solltest du es nicht so rumerzählen.
Manchmal ist es ganz gut, wenn die Leute nicht alles wissen.«
Er verabschiedete sich und war bei Sonnenaufgang in den
Bergen.

Es regnete nicht mehr, aber das Gestrüpp war noch naß, und
in der Mitte des Flußbettes kam das Wasser drängend und
schnell von den Bergen herunter; es floß nur bis Mittag, dann
war das Flußbett wieder weiß, leer und mit leuchtenden Kieseln
bedeckt.

Vittorio war jeden Morgen bei der alten Pinie, wo er den
Korb fand, und im Korb waren bessere Sachen als früher: der
Wein war besser und der Käse, es gab mehr Brot und mitunter
Fleisch. Er fand auch Maddalena da, seine Frau, und sie
erzählte ihm, was er wissen mußte; sie erzählte ihm, daß es den
Karabinieri langweilig wurde unten im Dorf und daß sie versuchten, sich die Zeit zu verkürzen. Sie hatten die Prämie erhöht; sie wollten jetzt dem eine Million Lire zahlen, der ihnen
Vittorio ablieferte; mit ihrem Geld, dachten sie, würden sie
schaffen, was sie selbst nicht schaffen konnten. Maddalena
wußte alles, wenn sie den Korb brachte.

Doch an einem Morgen fand sie den Korb unberührt; die
Sachen, die sie eingepackt hatte, steckten noch drin, die
Flasche und das Brot, alles. Vittorio war nicht heruntergekom-
men zur Pinie, und sie wartete lange, aber sie sah ihn nirgends
auftauchen, er blieb weg an diesem Morgen. Sie tauschte die
Sachen im Korb aus und ging den Weg zurück. Aber am
nächsten Tag war der Korb auch nicht angerührt, und an den
folgenden beiden Tagen auch nicht, und Maddalena überlegte
und ging dann hinauf, um Vittorio zu suchen.

Sie ging zuerst zu Zappis Hütte hinauf, aber hier fand sie ihn
nicht; sie untersuchte seine Verstecke im Gestrüpp, die er ihr
alle beschrieben hatte, sie ging das Flußbett ab, aber auch da
konnte sie ihn nicht entdecken, und zuletzt blieb nur noch die
Grotte, wo sie sich mit ihm vor den Karabinieri verborgen
hatte.

Sie zwängte sich in die Grotte hinein, und da fand sie ihn; er lag auf dem Gestrüpp, seine Flinte lag neben ihm. Er sah sie mit ausdruckslosem Gesicht rankommen und rührte sich nicht. Maddalena kniete sich neben ihn hin, nahm seine Hand und fuhr ihm über die schweißglänzende Stirn und redete auf ihn ein, aber Vittorio sah sie mit abweisendem Blick an und sagte nichts. Er stöhnte, als Maddalena ihn aufzuheben versuchte, um ihn mit dem Rücken gegen die Wand zu setzen; er schüttelte den Kopf. Das Mädchen wollte ihm etwas Wein zu trinken geben, aber Vittorio wehrte mit den Augen ab, und da wußte Maddalena, daß sie ihn hier niemals gesund bekommen würde: hier oben konnte sie ihm nicht helfen, vielleicht konnte sie ihm überhaupt nicht helfen, vielleicht mußte er zum Arzt und in ein Krankenhaus.

Maddalena stellte alles, was sie bei sich hatte, neben Vittorio hin; sie küßte ihn und verließ die Grotte, und dann lief sie das Flußbett hinab. Als sie die Straße erreicht hatte, sah sie zu Don Poddus Haus hinüber; sie sah die Karabinieri auf der Veranda sitzen, und sie ging langsamer jetzt und zögernd. Sie ging am Haus nicht vorbei; sie stieg die Treppen zu der Veranda hinauf, und die Karabinieri lachten, und einer kam näher und fragte: »Was bringst du uns, Maddalena?«

»Vittorio!« sagte sie.

Maddalena ging zum Kommandanten, und der Kommandant gab ihr eine Bescheinigung, daß sie das erste Anrecht hätte auf die Prämie; Maddalena verwahrte die Bescheinigung, dann ging sie mit fünf Karabinieri hinauf zu der Grotte, in der sie Vittorio gefunden hatte. Sie blieb draußen stehen; zwei Karabinieri zwängten sich in die Grotte hinein, und als Vittorio sie sah, hob er die Flinte und richtete den bläulichen Lauf auf seine Brust. Aber die Karabinieri waren schneller bei ihm; sie rissen ihm die Flinte aus der Hand, sie fesselten ihn, obwohl er stöhnte, und sie trugen ihn zum Eingang und schleiften ihn über die Kiesel ins Freie. Und als sie ihn auf die Beine setzten, traf sein Blick Maddalena; sein Blick ging gleichgültig und ohne Erstaunen über sie hinweg, als ob er sie nie gesehen habe und als ob sie nicht seine Frau sei. Aber Maddalena spürte, daß in diesem Blick alle Verachtung der Welt lag. Die Karabinieri trieben ihn hinunter zu Don Poddus Haus; keiner trug ihn, obwohl er unterwegs mehrmals zusammenbrach. Wenn er zusammenbrach, warteten sie und rauchten, und schließlich rissen sie ihn hoch. Sie brachten ihn hinab in das kleine Gefängnis, in einen heißen, gelb getünchten Raum, und Vittorio legte sich auf die Pritsche und sagte kein Wort. Sie brachten ihm zu essen, aber er aß nicht, er blieb auf der Pritsche liegen, sie konnten mit ihm tun, was sie wollten: er aß und antwortete nicht. Da holten die Karabinieri einen Arzt aus Nuoro, sie fuhren mit dem Auto hinüber, um den Arzt zu holen, und er kam und operierte Vittorio.

Vittorio war mager geworden, die Krankheit hatte ihm zugesetzt, aber der Arzt bekam ihn gesund, er brachte ihn wieder auf die Beine, und Vittorio aß und redete wieder.

Der Posten der Karabinieri kam zu ihm und sagte:

»Du hast Besuch. Da ist jemand, der möchte dich sprechen.«

»Nein«, sagte Vittorio.

»Es ist deine Frau«, sagte der Posten. »Sie ist schon zwanzigmal hier gewesen, um dich zu sprechen. Ich habe nichts dagegen, wenn sie mit dir redet.«

»Ich möchte keinen sehen«, sagte Vittorio.

»Na«, sagte der Posten, »mit deiner Frau könntest du wohl reden. Das bist du ihr schuldig. Das solltest du wohl tun.«

Vittorio schwieg und starrte an die Decke, er lag ausgestreckt da und sagte nichts, und der Posten wußte, daß es keinen Zweck hatte, weiter mit ihm zu reden. Er ging auf den Gang hinaus, wo Maddalena wartete und Sandro und noch einige andere, die alle mit ihm reden wollten, und er sagte zu ihnen: »Nichts! Er will euch nicht sehen. Er will euch nicht sehen und nicht sprechen.« Der Posten lachte, und Maddalena und Sandro und die anderen verließen das Gefängnis und gingen nach Hause, um am nächsten Tag wiederzukommen und dieselbe Antwort zu erhalten: Vittorio wollte keinen sehen und keinen sprechen.

Er lag den ganzen Tag in der schmalen, heißen Zelle, lag bewegungslos da und starrte zur Decke. Er lag all die Wochen da, bis sein Prozeß begann, und ein paar Tage, bevor sie ihn holten, kam einer zu ihm, kam herein in die Zelle und war ganz allein mit ihm. Er nahm Vittorios Hand und drückte sie, und dann angelte er sich einen Hocker und setzte sich zu Vittorio an die Pritsche. Er sah eine ganze Weile auf Vittorio herab, dann sagte er: »Hör zu, Vittorio, wenn du mir genau zuhörst, bring ich dich hier raus. Ich bin dein Verteidiger und heiße Pietro Feola. Ich weiß nicht, ob du meinen Namen schon gehört hast, wenn nicht, ist es auch nicht schlimm. Aber du kannst sicher sein, daß ich dich hier rausbringe.«

»Laß mich allein«, sagte Vittorio, »geh raus und laß mich allein.«

»Sei nicht eigensinnig«, sagte Pietro, »zu mir kannst du Vertrauen haben. Ich habe ganz andere Leute rausgeholt. Du kannst bestimmt zu mir Vertrauen haben, das erleichtert die Sache.«

»Wer hat dich geschickt?« fragte Vittorio.

»Deine Frau«, sagte Pietro. »Du brauchst dir keine Sorgen zu machen wegen des Geldes. Sie hat mir schon die Hälfte bezahlt. Ich bin nicht umsonst aus Cagliari rübergekommen, Vittorio, das kannst du mir glauben. Wenn ich abfahre, bist du raus hier, sie werden dich nicht verurteilen, weil sie keine Beweise haben und weil du unschuldig bist. Ich glaube, daß du unschuldig bist, Vittorio, und das genügt.«

»Hör zu«, sagte Vittorio. »Wenn du jetzt nicht verschwindest, dann passiert etwas. Ich habe mich gut ausgeruht hier drin. Ich will dich jetzt nicht mehr sehen. Maddalena hat kein Geld, sie kann dir kein Geld gegeben haben.«

»Du hättest mit ihr reden sollen«, sagte Pietro. »Das hättest du tun können. Dann wüßtest du, daß Maddalena die Prämie bekommen hat. Man hat ihr eine Million Lire gegeben, weil sie dich abgeliefert hat, und Maddalena hat mir fünfhunderttausend Lire bezahlt, genau die Hälfte.«

»Geh jetzt«, sagte Vittorio, »ich will nichts wissen von diesem Geld, woher sie es hat, ich will nichts davon hören.«

»Na«, sagte Pietro, »beruhige dich nur. Wir haben ja noch Zeit. Schlaf mal eine Nacht, und morgen komme ich wieder. Du wirst es dir schon überlegen. Aber eines sage ich dir, Vittorio, du kannst eigensinnig sein, du kannst dich noch so anstellen, ich gebe nicht auf, hörst du. Ich habe schon ganz andere Leute rausgeholt als dich, und ich gebe nicht nach. Und wenn du mir nicht glaubst, dann rate ich dir, nachzufragen, wer ich bin. Die wissen es alle. Und jetzt bleib ruhig und versuche nicht, auf mich loszugehen. Ich stamme auch aus der Barbagia,[7] und ich hab auch was drin in den Handschuhen.« Pietro schob den Hocker in eine Ecke und ging hinaus.

Vittorio sah ihm nicht nach, als er hinausging, er lag ausgestreckt da und sah zur Decke. Er lag auch an den nächsten Tagen so da, als sein Verteidiger wiederkam und mit ihm zu reden versuchte: er änderte sich nicht.

Der Posten, der vor seiner Zelle stand, hatte das eine ganze Zeit beobachtet, und kurz bevor sie Vittorio zur Verhandlung holten, sagte er: »Du hast Glück. Du hast viel mehr Glück, als du verdienst. Den besten Verteidiger von der Insel hat dir deine Frau hergeholt. So eine Frau findest du nicht noch einmal.« Vittorio schwieg, er schwieg auch während des ganzen Prozesses. Er saß teilnahmslos auf seinem Stuhl und wandte nur den Kopf, wenn Pietro, sein Verteidiger, seinen Namen nannte. Sie waren alle zu Vittorios Prozeß gekommen, Maddalena und ihre Mutter und Sandro und alle die andern, die ihm das Essen raufgeschickt hatten, als er in den Bergen lebte. Sie saßen aufmerksam auf den Bänken und sahen zu ihm hinüber; sie hatten sich etwas zu essen mitgebracht, und in den Pausen aßen sie schweigend, und wenn die Verhandlung wieder begann, saßen sie wieder auf ihren Plätzen und ließen sich kein Wort entgehen.

Und Pietro bewies, daß Vittorio unschuldig nach Mammone verurteilt worden war und daß der Schuß auf Don Poddu nicht aus seiner Flinte abgefeuert wurde. Er war ein Redner, wie ihn noch niemand im Dorf erlebt hatte, und sie schlossen die Augen, um ihm zuzuhören. Es gelang ihm schließlich, Vittorio rauszuholen, und er wurde noch im Gerichtssaal in Freiheit gesetzt.

Als Vittorio die Holztreppe herabkam, erhoben sich alle, alle standen von den Bänken auf, als er, ohne ein Wort zu sagen, herabkam und langsam an den ersten vorbeiging. Seine Schritte hallten auf den Steinplatten, und er ging an den Leuten vorbei. Er ging bis zum Mittelgang, und vor der Bank, auf der Maddalena saß, blieb er stehen. Schweigend blickte er sie an, dann wandte er sich ab und ging allein hinaus.

Der Läufer

Eine klare, saubere Stimme bat im Lautsprecher um Ruhe für den Start, und es wurde schnell still im Stadion. Es war eine grausame Stille, zitternd und peinigend, und selbst die Verkäuferinnen in den gestärkten Kitteln blieben zwischen den Reihen stehen. Alle sahen hinüber zum Start des 5000-Meter-Laufes; auch die Stabhochspringer unterbrachen ihren Wettkampf und legten die Bambusstangen auf den Rasen und blickten zum Start. Es war nicht üblich, daß man bei einem 5000-Meter-Lauf um Ruhe für den Start bat, man tat das sonst nur bei den Sprintstrecken, aber diesmal durchbrachen sie ihre Gewohnheit, und alle wußten, daß ein besonderer Lauf bevorstand.

Sechs Läufer standen am Start, standen gespannt und bewegungslos und dicht nebeneinander, und es war so still im Stadion, daß das harte Knattern des Fahnentuchs im Wind zu hören war. Der Wind strich knapp über die Tribüne und fiel heftig in das Stadion ein, und die Läufer standen mit gesenkten Gesichtern und spürten, wie der Wind ihren Körpern die Wärme nahm, die die Trainingsanzüge ihnen gegeben hatten.

Die Zuschauer, die in der Nähe saßen, erhoben sich; sie standen von ihren Plätzen auf, obwohl der Start völlig bedeutungslos war bei einem Lauf über diese Distanz; aber es zog sie empor von den feuchten Zementbänken, denn sie wollten ihn jetzt wiedersehen, sie wollten ihn im Augenblick des Schusses antreten sehen, sie wollten erfahren, wie er loskam. Er hatte die Innenbahn gezogen, und er stand mit leicht gebeugtem Oberkörper da, das rechte Bein etwas nach vorn gestellt und eine Hand über dem Schenkel. Er war der älteste von den angetretenen Läufern, das sahen sie alle von ihren Plätzen, er war älter als alle seine Gegner, und er hatte ein ruhiges, gleichgültiges Gesicht und eine kranzförmige Narbe im Nacken: er sah aus, als ob er keine Chance hätte. Neben ihm stand der Marokkaner, der für Frankreich lief, ein magerer, nußbrauner Athlet mit stark gewölbter Stirn und hochliegenden Hüften, neben dem Marokkaner standen Aimo und Pörhöla, die beiden Finnen, und dann kam Boritsch, sein Landsmann, und schließlich, ganz außen, Drouineau, der mit dem Marokkaner für Frankreich lief. Sie standen dicht nebeneinander in Erwartung des Schusses, und er sah neben dem Marokkaner schon jetzt müde und besiegt aus; noch bevor der Lauf begonnen hatte, schien er ihn verloren zu haben.

Manche auf den Bänken wußten, daß er schon über dreißig war, sie wußten, daß er in einem Alter lief, in dem andere Athleten längst abgetreten waren, aber bei seinem Namen waren sie gewohnt, an Sieg zu denken. Sie hatten geklatscht und geklatscht, als sie durch den Lautsprecher erfahren hatten, daß er in letzter Minute aufgestellt worden war; man hatte seinetwegen einen jüngeren Läufer vom Start zurückgezogen, denn der Gewinn des Länderkampfes hing jetzt nur noch vom Ausgang des 5000-Meter-Laufes ab, und man hatte ihn, den Ersatzmann, geholt, weil er erfahrener war und taktisch besser lief, und weil man sich daran gewöhnt hatte, bei seinem Namen an Sieg zu denken.

Der Obmann der Zeitnehmer schwenkte am Ziel eine kleine weiße Fahne, der Starter hob die Hand und zeigte, daß auch er bereit sei, und dann sagte er mit ruhiger Stimme »Fertig«[1] und hob die Pistole. Er stand einige Meter hinter den Läufern, ein kleiner, feister Mann in hellblauem Jackett; er trug saubere Segeltuchschuhe, und er hob sich, während er die Pistole schräg nach oben richtete, auf die Zehenspitzen; sein rosiges Gesicht wurde ernst und entschlossen, ein Zug finsterer Feierlichkeit glitt über dieses Gesicht, und es sah aus, als wolle er in dieser gespannten Stille der ganzen Welt das Kommando zum Start geben. Er sah auf die Läufer, sah auf ihre gebeugten Nacken, er sah sie zitternd unter den Stößen des Windes dastehen, und er dachte für einen Augenblick an die Zeit, als er selber im Startloch[2] gekauert hatte, einer der besten Sprinter des Kontinents. Er spürte, wie in der furchtbaren Sekunde bis

zum Schuß die alte Nervosität ihn ergriff, die würgende Übelkeit vor dem Start, von der er sich nie hatte befreien können,
und er dachte an die Erlösung, die immer erfolgt war, wenn er
sich in den Schuß hatte fallen lassen. Er schoß, und der Wind
trieb die kleine, bläuliche Rauchwolke auseinander, die über
der Pistole sichtbar wurde.

Die Läufer kamen gut ab, sie gingen schon in die Kurve, und
an erster Stelle lief er, lief mit kurzen, kraftvollen Schritten, um
sich gleich vom Feld zu lösen. Hinter ihm lag der Marokkaner,
dann kamen Boritsch und Drouineau, und die Finnen bildeten
den Schluß. Seine rechte Hand war geschlossen, die linke offen,
er lief schwer und energisch, mit leicht auf die Seite gelegtem
Kopf, er ließ den Schritt noch nicht aus der Hüfte pendeln,
sondern versuchte erst, durch einen Spurt freizukommen, und
er hörte das Brausen der Stimmen, hörte die murmelnde Bewunderung und die Sprechchöre,[3] die gleich nach dem Schuß
eingesetzt hatten und jetzt wie ein skandiertes Echo[4] durch das
Stadion klangen. Über sich hörte er ein tiefes, stoßartiges
Brummen, und er wußte, daß es der alte Doppeldecker war,
und während er lief, fühlte er den Schatten des niedrig fliegen-
den Doppeldeckers an sich vorbeiflitzen, und dann den Schatten
des Reklamebandes, mit dem der Doppeldecker seit einigen
Stunden über dem Stadion kreiste. Und in das Brummen hinein
riefen die Sprechchöre seinen Namen, die Sprechchöre sprangen wie Fontänen auf, hinter ihm und vor ihm, und Fred
Holten, der älteste unter den Läufern, lief die Zielgerade[5] hinunter und lag nach der ersten halben Runde acht Meter vor
dem Marokkaner. Der Marokkaner lief schon jetzt mit langem,
ausgependeltem Schritt, er lief mit Hohlkreuz und ganz aus der
Hüfte heraus, und sein Gesicht glänzte, während er ruhig seine
Bahn zog.

Vom Ziel ab waren noch zwölf Runden zu laufen; zwölfmal
mußten die Läufer noch um die schwere, regennasse Bahn. Die
Zuschauer setzten sich wieder auf die Bänke, und die Verkäuferinnen mit den Bauchläden gingen durch die Reihen und
boten Würstchen an und Limonade und Stangeneis. Aber die
Stimmen, mit denen sie ihr Zeug anboten, klangen dünn und
verloren, sie riefen hoffnungslos in diese Einöde der Gesichter

hinein, und wenn sich gelegentlich einer der Zuschauer an sie wandte, dann nur mit der Aufforderung, zur Seite zu treten.

Im Innenraum der zweiten Kurve nahmen die Stabhochspringer wieder ihren Wettkampf auf, aber er wurde wenig beachtet; niemand interessierte sich mehr für sie, denn die deutschen Teilnehmer waren bereits ausgeschieden, und es erfolgte nur noch ein einsames Stechen[6] zwischen einem schmächtigen, lederhäutigen Finnen und einem Franzosen, die beide im ersten Versuch dieselbe Höhe geschafft hatten und nun den Sieger ermittelten. Sie ließen sich Zeit dabei und zogen nach jedem Sprung ihre Trainingsanzüge an, machten Rollen auf dem feuchten Rasen und liefen sich warm.

Fred ging mit sicherem Vorsprung in die zweite Kurve, er brauchte den Vorsprung, denn er wußte, daß er nicht stark genug war auf den letzten Metern; er konnte sich nicht auf seinen Endspurt verlassen, und darum lief er von Anfang an auf Sieg. Er ging hart an der Innenkante in die Kurve hinein, und sein Schritt war energisch und schwer. Er lief nicht mit der Gelassenheit des Marokkaners, nicht mit der federnden Geschmeidigkeit der Finnen, die immer noch den Schluß bildeten, er lief angestrengter als sie, kraftvoller und mit kurzen, hämmernden Schritten, und er durchlief auch die zweite Kurve fast im Spurt und lag auf der Gegengeraden fünfzehn Meter vor dem Marokkaner.

Als er am Start vorbeiging, hörte er eine Stimme, und er wußte, daß es die Stimme von Ahlborn war; er sah ihn an der Innenkante auftauchen, sah das unruhige Frettchengesicht seines Trainers und seinen blauen Rollkragenpullover, und jetzt beendete er den ersten Spurt und pendelte sich ein.[7]

»Es ist gut gegangen«, dachte Fred, »bis jetzt ist alles gut gegangen! Nach zwei Runden kommt der erste Zwischenspurt, und bis dahin muß ich den Vorsprung halten. El Mamin wird jetzt nicht aufschließen;[8] der Marokkaner wird laufen wie damals in Mailand, er wird alles in den Endspurt legen.«

Auch Fred lief jetzt aus der Hüfte heraus, sein Schritt wurde ein wenig leichter und länger, und sein Oberkörper richtete sich auf. Er kam sich frei vor und stark, als er unter dem Rufen der Sprechchöre und dem rhythmischen Beifall in die Kurve ging, und er hatte das Gefühl, daß der Beifall ihn trug und nach vorn stieß, – der prasselnde Beifall ihrer Hände, der Beifall der organisierten Stimmen in den Chören, die seinen Namen riefen und ihn skandiert in den Wind und in das Brausen des Stadions schrien, und dann der Beifall der Einzelnen, die sich über die Brüstung legten und ihm winkten und ihm ihre einzelnen Schreie hinterher schickten. Sein Herz war leicht und drückte nicht, es machte noch keine Schwierigkeiten, und er lief für ihren Beifall, lief und empfand ein heißes, klopfendes Gefühl von Glück. Er kannte dieses Gefühl und dieses Glück, er hatte es in hundert Läufen gefunden, und dieses Glück hatte ihn verpflichtet und auf die Folter genommen, es hatte ihn stets bis zum Zusammenbruch laufen lassen, auch dann, wenn seine Gegner überrundet und geschlagen waren; er war mit einer siedenden Übelkeit im Magen weitergelaufen, weil er wußte, daß er auch gegen alle abwesenden Gegner und gegen die Zeit lief, und jeder seiner Läufe hatte in den letzten Runden wie ein Lauf ums Leben ausgesehen.

Fred sah sich blitzschnell um, er wußte, daß es ihn eine Zehntelsekunde an Zeit kostete, aber er wandte den Kopf und sah zu dem Feld zurück. Es hatte sich nichts verändert an der Reihenfolge, der Marokkaner lief lauernd und mit langem Schritt, hinter ihm lagen Boritsch und dann der zweite Franzose und zum Schluß die beiden Finnen. Auch die Finnen waren schon ältere Läufer, aber keiner von ihnen war so alt wie Holten, und Fred Holten wußte, daß das sein letzter Lauf war, der letzte große Lauf seines Lebens, zu dem sie ihn, den Ersatzmann, nur aufgestellt hatten, weil der Gewinn des Länderkampfes vom Ausgang des 5000-Meter-Laufes abhing; sie hätten ihn nicht aufgestellt, wenn die Entscheidung des Dreiländerkampfes bereits gefallen wäre.

Er verspürte ein kurzes, heftiges Zucken unter dem linken Auge, es kam so plötzlich, daß er das Auge für eine Sekunde schloß, und er dachte: »Jesus, nur keine Zahnschmerzen. Wenn der Zahn wieder zu schmerzen beginnt, kann ich aufgeben, dann ist alles aus. Ich muß den Mund schließen, ich muß die Zunge gegen den Zahn und gegen das Zahnfleisch drücken, einen Augenblick, wenn nur der Zahn ruhig bleibt.« Und er lief

mit zusammengepreßtem Mund durch die Kurve und wieder
auf die Zielgerade unter der Tribüne, und der Zahnschmerz
wurde nicht schlimmer.

An der Kurve hinter dem Ziel hing ein großes, weißes Stoffplakat, unter dem mächtig der Wind saß; es war ein Werbeplakat, und die Buchstaben waren schwarz und dickbäuchig und
versprachen: Mit Hermes-Reifen geht es leichter. Fred sah das
riesige Stoffplakat wie eine Landschaft vor sich auftauchen, es
bauschte sich ihm entgegen, und als er einmal schnell den Blick
hob und auf den oberen Rand des Plakates sah, erkannte er das
lange strohige Haar von Fanny. Und neben ihrem Haar erkannte er den grünlichen Glanz eines Ledermantels, und er
wußte, daß es der Mantel von Nobbe war, und während er hart
die Kurve anging, fühlte er sich unwiderstehlich hinausgetragen aus dem Stadion; er lief jetzt ganz automatisch, lief mit
schwingenden Schultern und überließ die Kontrolle des Laufs
seinen Beinen, und dabei trug es ihn hinaus aus dem Stadion.
Er sah, obwohl er längst in der Kurve war, immer noch das
Gesicht von Fanny vor sich, ein spöttisches, wachsames Gesicht
unter dem strohigen Haar, und neben diesem Gesicht den
Korpsstudentenschädel[9] von Nobbe, sein kurzes, mit Wasser
gekämmtes Haar, sein gespaltenes Kinn und den fast lippenlosen Mund. Und während er ganz automatisch lief, pendelnd
jetzt und mit langem Schritt, sah er die Gesichter immer mehr
auf sich zukommen, sie wurden groß und genau und bis auf den
Grund erkennbar, und es war ihm, als liefen die Gesichter mit
. . . er sah das mit Mörtel beworfene Haus und dachte an die
Schienen hinter dem Haus und an den Hafen, der damals still
und verlassen war und voll von Wracks. Dahin ging er, als er
aus der Gefangenschaft kam. Er ging den Kai entlang auf das
Haus zu und sah hinab auf das Wasser, das an den Duckdalben[10] hochschwappte und schwarz war, und im Wasser schwammen verfaulte Kohlstrünke, Dosen und Kistenholz. Es war niemand auf dem Kai außer ihm, und es roch stark nach Öl und
Fäulnis und nach Urin. Hier auf dem Kai drehte er sich aus
Kippen die letzte Zigarette, er rauchte sie zur Hälfte, schnippte
sie ins Wasser, und dann sah er zu dem Haus hinüber und verließ den Kai. Er ging unter verrosteten Kränen hindurch, die

von den Laufschienen heruntergerissen waren; sie lagen ver-
bogen und langhalsig auf der Erde, und ihre Sockel waren
unten weggespreizt wie die Beine einer trinkenden Giraffe. Dann
ging er zu dem Haus. Es stand für sich da auf einem Hügel, und
man konnte von ihm über den ganzen Hafen sehen und über
den Strom. Hinter dem Haus liefen Schienen; vor dem Haus
wuchs ein einzelner Birnbaum, der Birnbaum war klein und alt
und blühte.

Fred ging den Hügel hinauf und betrat das Haus, es hatte
keine Außentür, und er stand gleich im Flur. Er wollte sich
umsehen, da entdeckte er über sich, auf der Treppe, das Gesicht des Jungen. Der Junge hatte ihn vom Fenster aus beobachtet, und jetzt lehnte er sich über das Geländer der Treppe
zu ihm hinab und zeigte mit der Hand auf ihn und sagte:

»Ich weiß, wer du bist«, und dann lachte er.

»So«, sagte Fred, »wenn du mich kennst, dann weiß ich auch,
wer du bist.«

»Rat mal, wie ich heiß«, sagte der Junge.

»Timm«, sagte Fred. »Wenn du mich kennst, kannst du nur
Timm sein.« Und er lachte zu dem barfüßigen Jungen hinauf
und nahm den Rucksack in die Hand und stieg die Treppen
empor. Der Junge erwartete ihn und nahm ihm den Rucksack
ab, Fred legte dem Jungen die Hand auf das blonde, verfilzte
Haar, und beide gingen zu einer Tür.

»Hier ist es«, sagte der Junge, »hier kannst du rein-
gehen.«

Fred klopfte und drückte die Tür nach innen auf, und ein
Geruch von feuchten Fußabtretern strömte an ihm vorbei. Er
blieb auf dem kleinen Korridor stehen, nahm dem Jungen den
Rucksack aus der Hand und setzte ihn auf den Boden.

»Wir sind da«, flüsterte der Junge, »ich werde sie holen«; er
verschwand hinter einer Tür, und Fred hörte ihn einen Augenblick flüstern. Dann kam er zurück, und hinter ihm tauchte
eine Frau in einem großgeblümten Kittel auf, es war eine
ältere Frau, schwer und untersetzt, mit einem mächtigen, ge-
wölbten Nacken und geröteten Kapitänshänden. Sie hatte ein
breites Gesicht, und ihr Kopf nickte bei jedem Schritt wie der
Kopf einer Taube. Sie begrüßte Fred, indem sie ihm wortlos die

Kapitänshand reichte, aber plötzlich wandte sie das Gesicht ab
und ging nickend wieder in die Küche zurück, und Fred sah,
daß die Alte weinte.

»Los«, sagte der Junge, »geh auch in die Küche. Sie wird dir
Kaffee kochen.« Und als Fred zögerte, schob ihn der Junge über
den Korridor und in die Küche hinein. Er schob ihn bis zu
einem der beiden Hocker, dann ging er um ihn herum und
stieß ihm beide Hände in den Bauch, so daß Fred einknickte
und auf den Hocker fiel. »Gut«, sagte der Junge, »jetzt hol ich
noch deinen Rucksack.«

Die Alte saß auf einem Hocker vor dem Herd, still und in
sich versunken, sie saß bewegungslos da, und ihr Blick ruhte
auf dem alten Birnbaum.

Fred sah sich schnell und vorsichtig in der Küche um, sah die
Reihe der Näpfe entlang, die auf einem Bord standen, auf die
Herdringe, die an einem Haken hingen, und schließlich blieb
sein Blick an einem weinroten Sofa hängen, das in einer Ecke
der Küche stand. Das Sofa war schäbig und durchgelegen, an
einigen Stellen quoll das Seegras hervor, es war breit und hatte
sanfte Rundungen, und Fred spürte, daß es ihn zu diesem Sofa
zog.

»Da«, sagte der Junge, »da hast du deinen Rucksack«, und
er schleifte den Rucksack vor Freds Füße.

Dann ging er zu der Alten hinüber, tippte ihr auf den ge-
wölbten Nacken und sagte: »Koch ihm Kaffee, Mutter, koch
ihm eine Menge Kaffee. Er hat Durst. Erst einmal soll er
trinken.« Der Junge stieg auf das Sofa und holte eine Tasse vom
Bord herab und stellte sie auf den Tisch. Dann setzte er sich
neben dem Rucksack auf die Erde und sagte: »Wann wirst du
den Rucksack auspacken?«

»Bald«, sagte Fred.

»Darf ich dann zusehen?«

»Ja.«

»Gut«, sagte der Junge, »das ist ein Wort.«[11] Er begann den
Stoff des Rucksackes zu betasten, und dabei blickte er fragend
zu Fred auf. Plötzlich stand die Frau auf und zog einen Napf
vom Bord herab, sie öffnete ihn und nahm eine Karte heraus,
und mit der Karte ging sie auf Fred zu und sagte: »Da hab ich

sie noch. Es ist die letzte, die ankam. Da haben Sie noch mit unterschrieben.«

»Ja«, sagte Fred, »ja, ich weiß.«

»Wie lange wird es dauern«, fragte die Frau, »sie werden ihn doch nicht ewig behalten. Er muß doch mal nach Hause kommen.«

»Sicher«, sagte Fred. »Wir waren bis zuletzt zusammen.« Und er dachte an das schmächtige Bündel unten am Donez,[12] an den vergnügten, kleinen Mann, dem wenige Tage vor der Entlassung herabstürzende Kohle das Rückgrat zerschmettert hatte. Er dachte an Emmo Kalisch und an den Augenblick, als sie ihn mit zerschmettertem Rückgrat auf die Pritsche hoben, und er sah wieder das vergnügte, pfiffige Gesicht, in dem noch ein Ausdruck von List lag, als der Arzt zweifelnd die Schultern hob.

»Er wird es schon machen«, sagte Fred, »ich bin sicher, er wird bald nachkommen.«

»Ja«, sagte die Frau. »Er hat geschrieben, daß Sie bei uns wohnen werden. Sie können hier wohnen, Sie können auf dem Sofa schlafen.«

»Koch ihm Kaffee«, sagte der Junge. »Er soll erst trinken, dann wollen wir den Rucksack auspacken.«

»Du hast recht, Junge«, sagte die Alte, »ich werde ihm Kaffee kochen.«

Fred spürte nichts als eine große Müdigkeit, und er blickte sehnsüchtig zum Sofa hinüber, während die Frau den Napf wegsetzte und mit ruhiger Kapitänshand den Kessel auf das Feuer schob. »Er hat oft von Ihnen geschrieben«, sagte sie, ohne sich zu Fred umzudrehen. »Fast in jedem Brief hat er von Ihnen erzählt. Und er hat auch Bilder geschickt von Ihnen.«

»Ja«, sagte Fred und prüfte die Länge des Sofas und überlegte, ob er die Beine überhängen lassen oder sie anziehen sollte.

Die Müdigkeit wurde schmerzhaft, und nachdem er Kaffee getrunken hatte, schob er dem Jungen den Rucksack zu und sagte: »Du kannst ihn allein auspacken, Timm. Schütt ihn einfach aus. Und was du nicht brauchen kannst, gib deiner Mutter oder leg es auf die Fensterbank.«

Und dann rollte er sich auf dem weinroten Sofa zusammen und drehte sich zur Wand und schlief. Er schlief den ganzen

Nachmittag und die Nacht und auch den späten Vormittag, und als er die Augen öffnete, sah er das große nickende Gesicht der Frau und die ruhigen Kapitänshände, die ihm Brot und Kaffee auf den Tisch stellten. »Wir haben nicht viel«, sagte sie, »aber im September sind die Birnen soweit.«

Fred blieb auf dem Sofa liegen. Er bröckelte sinnierend das Brot in sich hinein und trank bitteren Kaffee, dann drehte er sich zur Wand, zog die Beine an und schlief der nächsten Mahlzeit entgegen. Der Dampf aus den Töpfen zog sanft über ihn hinweg, und wenn er nicht schlief und dösend die Wand anstarrte, hörte er das Klappern von Geschirr hinter sich und das Rattern der Deckel, wenn das Wasser unter ihnen kochte.

Fred blieb auf dem schäbigen Sofa liegen, er blieb Tag um Tag da, und es sah aus, als werde er es nie mehr freigeben. Nur an den Sonntagen konnte Fred nicht schlafen, an den Sonntagen wehten ferne Schreie zu ihm in die Küche, und ein dumpfes Brausen von Stimmen, und er drehte sich weg von der Wand, starrte auf die Decke und lauschte. Jeden Sonntag lauschte er, und als der Junge einmal hereinkam, zog er ihn an das Sofa und sagte:

»Was ist das, Timm? Woher kommen die Stimmen?«

Und der Junge sagte: »Vom Sportplatz.«

»Bist du auch da?«

»Ja«, sagte der Junge, »ich bin immer da.«

Dann ließ Fred das Handgelenk des Jungen los und starrte wieder auf die Decke. Er lag dösend da, kaute das Essen in sich hinein und schien sich nicht mehr lösen zu können von dem weinroten Sofa. Aber eines Tages, an einem Sonntag, lange bevor das Brausen der Stimmen zu ihm hereinwehte, stand er auf und begann, sich über dem Ausguß zu rasieren. Er tat es mit so viel Sorgfalt, daß die Frau und der Junge erschraken und annahmen, er wolle sie verlassen. Er aß auch nichts an diesem Morgen, er trank nur eine Tasse Kaffee und stand auf, nachdem er sie getrunken hatte, und dann ging er ans Fenster und sagte:

»Wann gehst du, Timm?«

»Wir können gleich gehen«, sagte der Junge. Er war überrascht, und aus seiner Antwort klang Freude.

Sie gingen zusammen zum Sportplatz, es war ein kleiner, von

jungen Pappeln umstandener Sportplatz, ohne Tribüne und abgestufte Plätze, die Aschenbahn war an der Außenkante weich und aus billiger Schlacke aufgeschüttet, und eine Menge glitzernder Brocken lagen auf ihr herum. Eine Walze lag in der Nähe, dicht vor der Umkleidekabine, aber sie war tief eingesunken in den Boden und zeugte davon, daß sie kaum gebraucht wurde. Der Rasen war dünn und schmutzig und vor den Toren von einer Anzahl brauner Flecken unterbrochen, die Fred an das durchgescheuerte Sofa in der Küche erinnerten. Er stützte sich auf das Geländer, das die Aschenbahn von den Zuschauern trennte, und sagte: »Na, alle Welt ist es nicht mit euerm Sportplatz.«[13] Dann kletterten sie unter dem Geländer hindurch und betraten die Aschenbahn, sie standen einen Augenblick nebeneinander und blickten über das genaue Oval des Platzes, und die Sonne brachte die billige Schlacke zum Funkeln. Sie waren noch allein auf der Aschenbahn, und obwohl der Platz klein und schäbig war und ohne Tribüne, hatte er etwas Anziehendes, er hatte etwas von einem Veteranen mit seinen Narben und braunen Flecken und all den Wunden vergangener Kämpfe; überall waren Spuren, Kratzer und Löcher, und an der Innenkante der Aschenbahn war die Schlacke festgetreten und hart von den Sohlen der Langstreckler. Er war nicht gepflegt und frisiert wie die großen Stadien, auf denen nach jedem Wettkampf die Spuren emsig entfernt wurden. Mit diesem schäbigen Vorstadtplatz trieben sie keine Kosmetik; er sah narbenbedeckt und ramponiert aus und zeigte für die Dauer einer Trockenzeit all die Spuren der Siege und Niederlagen, die auf ihm erkämpft oder erlitten wurden. Das war der Platz zwischen den jungen, staubgepuderten Pappeln draußen am Hafen, schorfig und mitgenommen, ein Platz letzter Güte,[14] und dazu stieß er mit einer Seite noch an eine Fischfabrik, von der auch am Sonntag ein scharfer Gestank herüberwehte.

Sie machten ein paar Schritte auf der Aschenbahn, und plötzlich hob der Junge den Kopf und sagte: »Du hast lange geschlafen, warst du so müde, daß du so lange geschlafen hast?«

»Ja«, sagte Fred, »ja, Junge. Ich war verdammt müde. Wenn man so müde ist, braucht man lange, bis man zu sich kommt.«

»Bist du immer noch müde?«

»Nein, jetzt nicht mehr. Jetzt bin ich wieder da.«

»Kannst du gut laufen?« fragte der Junge und kauerte sich hin.

»Ich weiß nicht«, sagte Fred. »Ich habe keine Ahnung, ob ich gut laufen kann. Ich hab das noch nicht ausprobiert.«

»Bist du noch nie gelaufen?«

»Doch, Junge«, sagte Fred, »ich bin eine Menge gelaufen. Durch die Täler des Kaukasus[15] bin ich gelaufen und durch die Sonnenblumenfelder von Stawropol, ich bin, als sie mit ihren Panzern kamen, immer vor ihnen hergelaufen, über die Krim und durch die ganze Ukraine. Nur kurz vor dem Ziel, da schnappten sie mich. In den Sümpfen an der Weichsel, Junge, da holten sie mich ein, weil sie die bessere Lunge hatten. Ich war fertig damals, das war der Grund.«

Der Junge hörte ihm nicht zu, er stand, während Fred sprach, geduckt und in Laufrichtung, und als Fred jetzt zu ihm hinübersah, wandte er ihm blitzschnell das Gesicht zu und rief:

»Komm, hol mich ein!«

Und dann flitzte er barfuß an der Innenkante der Aschenbahn in die Kurve. Fred blickte den nackten Beinen nach, die über die Aschenbahn fegten und kleine Brocken der Schlacke hochschleuderten, er sah das hingebungsvolle, verkrampfte Gesicht des Jungen, seine Verbissenheit, die heftig rudernden Arme, und er wußte, daß er den Jungen enttäuschen würde, wenn er nicht mitliefe. Timm war schon in der Mitte der Kurve, gleich würde er auf der Gegengeraden sein und herübersehen und dabei bemerken, daß ihm niemand folgte, und Fred lächelte und lief los. Er zuckelte gemächlich an der Innenkante entlang, immerfort zu dem Jungen hinübersehend, er lief lässig und mit langem Schritt und lachte über die verkrampfte Anstrengung seines Herausforderers, der immer weiter lief auf der Gegengeraden und den Lauf auf eine ganze Runde angelegt zu haben schien. Fred ließ ihm den Vorsprung bis zur zweiten Kurve, aber unvermutet, ohne daß er seinen Beinen einen Befehl gegeben hätte, begann er schneller zu laufen, das Lächeln verschwand aus seinem Gesicht, sein Schritt wurde energisch, und er hatte nur noch das Gefühl, daß er den Jungen einholen müßte. Mit jedem Meter, um den er den Vorsprung des Jungen verringerte, fühlte er sich glücklicher, es war ein unerwartetes Glück, das er verspürte, und er hatte jetzt nur noch den Wunsch, diesen Lauf zu gewinnen. Aus dem Jungen war plötzlich ein Gegner geworden, und Fred sah nicht mehr die wirbelnden Beine und die Verbissenheit des kleinen, sonnenverbrannten Gesichts, das ihn zum Lächeln gebracht hatte, er bemerkte nur noch, wie der Vorsprung zusammenschrumpfte, wie der Junge langsamer wurde und sich mit einem Ausdruck höchster Angst umsah, und die Angst im Gesicht des Jungen erhöhte Freds Geschwindigkeit. Dieser schnelle, ängstliche Blick zeigte ihm, daß der Junge ausgepumpt war und nur noch fürchtete, auf den letzten Metern überholt zu werden, und Fred sprintete durch die Kurve und fing den Jungen auf der Zielgeraden ab, wenige Schritte vor der Stelle, von der sie losgelaufen waren.

Der Junge setzte sich auf den Rasen und atmete heftig. Er sah ausgepumpt und fertig aus, und keiner sprach ein Wort, während er sich langsam erholte. Fred setzte sich auf das Geländer, er saß mit baumelnden Beinen da und beobachtete den Jungen. Er fühlte, daß etwas in ihm vorgegangen war, und er spürte noch immer das Glück dieses kleinen Sieges. Und nach einer Weile sprang er auf die Erde und ging zu dem Jungen hinüber. Er legte ihm eine Hand auf das blonde, verfilzte Haar und sagte: »Du warst gut, Junge, auf den ersten Metern warst du unerhört stark. Du hast mir allerhand zu schaffen gemacht. Wirklich, Junge, ich hatte eine Menge zu tun, bevor ich dich hatte. Du wirst noch mal ein guter Läufer.«

Der Junge hob den Kopf und blickte in Freds Gesicht. Fred lächelte nicht, und der Junge stand auf und gab ihm die Hand. »Macht nichts«, sagte er, »dafür bist du älter.«

Fred umarmte ihn, zog ihn an sich und fühlte den warmen Atem des Jungen durch das Hemd an seine Haut dringen. Dann gingen sie wieder hinter das Geländer, und jetzt sahen sie, daß sie nicht mehr allein waren auf dem Platz. Zwei Männer und ein Mädchen kamen die Aschenbahn herab, das blonde Mädchen ging zwischen ihnen, es hatte einen der Männer eingehakt. Der Mann, den das Mädchen eingehakt hatte, war blaß und schmalschultrig, er hatte einen Trainingsanzug an und trug ein Paar Nagelschuhe in der Hand, und sein Gesicht war verschlossen und zu Boden gesenkt. Der andere der Männer trug Zivil. Er war untersetzt und gut genährt und hatte einen Schädel wie ein Würfel. Als sie auf gleicher Höhe waren, rief Timm einen Gruß hinüber, und der Mann im Trainingsanzug sah erstaunt auf und rief einen Gruß zurück. Auch die anderen beantworteten den Gruß, aber sie nickten nur gleichgültig. Sie gingen hinüber zur Umkleidekabine, der Mann in Zivil schloß sie auf, und alle verschwanden darin.

»Das war Bert«, sagte der Junge. »Der im Trainingsanzug heißt Bert Steinberg. Er ist unser bester Läufer und gewinnt jedesmal. Ich hab noch nie gesehn, daß er verloren hat. Er ist der Beste im ganzen Verein.«

»Er sah gut aus«, sagte Fred, »er hat eine gute Läuferfigur.«

Fred sah hinüber zur Umkleidekabine, und plötzlich stand er auf und ging, ohne auf den Jungen zu achten, auf die braune Baracke mit dem Teerdach zu, und hier lernte er sie kennen. Er lernte Nobbe kennen, den gutgenährten Mann mit dem Korpsstudentenschädel, und kurz darauf Bert und auch Fanny, seine Verlobte.

Nobbe war Vorsitzender des Hafensportvereins, kein übler Mann, wie sich herausstellte; er war freundlich zu Fred und erklärte ihm, daß dieser Verein eine große Tradition habe, eine Läufertradition: Schmalz[16] sei aus diesem Verein hervorgegangen, der große Schmalz, der Zweiter wurde bei den Deutschen Meisterschaften. Er selbst, Nobbe, habe früher in der Staffel gelaufen, viermal vierhundert, und sie hätten einen Preis geholt bei den Norddeutschen Meisterschaften. Dieser Verein pflege vor allem die Läufertradition, denn der Lauf, ob man nun wolle oder nicht, sei die älteste Sportart, das Urbild des Sports, und man könne wohl sagen, daß gerade wir Deutschen den abendländischen Sinn des Laufens verstanden hätten: Nobbe war Zahnarzt. Er freue sich, daß er Bert entdeckt habe, er sei »gutes Material«, und aus ihm ließe sich etwas machen. Aber er freue sich auch über jeden andern, der im Verein mitarbeiten wolle, und Fred sei, wenn er Lust habe, eingeladen.

»Wir geben eine Menge auf Läufertradition«, sagte er, »wir

sind nicht viele, aber wir halten gut zusammen.« Nobbe gab ihm die Hand, und dann kam auch Bert über den Gang und gab ihm die Hand, und Fred sah, daß auch Fanny ihm zunickte. Sie wollten einen verschärften Trainingslauf machen an diesem Morgen, und nach einer Weile kamen auch noch ein paar andere Läufer in die Baracke, alle begrüßten sich und gingen dann in ihre Kabinen und machten sich fertig. Fred stand draußen auf dem Gang und hörte, wie sie sich unterhielten. Er hörte auch, daß sie von ihm sprachen, Nobbe erzählte ihnen, daß er mitmachen wolle, und als sie einzeln aus ihren Kabinen heraustraten, kamen sie zu ihm und gaben ihm die Hand. Es waren gesunde, aufgeräumte Jungen, nur Bert war scheu und blaß und ruhiger als sie. Zuletzt, als alle draußen waren, kam Nobbe zu Fred. Er legte ihm die Hand auf die Schulter und sagte:

»Haben Sie Freunde?«

»Nein«, sagte Fred, »ich habe keine Freunde.«

»Ein Mensch muß doch Freunde haben.«

»Ich hatte einen«, sagte Fred, »er ist weg.«

»Sie werden bald Freunde haben«, sagte Nobbe. »Die Jungen sind gut, Sie werden Augen machen. Wir tun alles für sie.«

»Glaub ich«, sagte Fred.

»Sie sind alle eine Klasse für sich, diese Jungen. Das Laufen verbindet. Wenn Männer zusammen laufen, dann verbindet sie das.«

»An welchen Tagen trainieren Sie?« fragte Fred.

»Zweimal in der Woche, wir trainieren am Dienstag und am Freitag. Und am Sonntag machen wir ein Extra-Training. Am Sonntag verschärftes Training, lange Strecke.«

»Ich weiß nicht«, sagte Fred, »wahrscheinlich gehe ich auf lange Strecke. Ich habe es noch nicht ausprobiert. Ich müßte es versuchen.«

»Noch nie gelaufen?«

»Nur auf dem Rückzug.«

»Das beste Training«, sagte Nobbe, »für einen Langstreckenläufer das beste Training.«

Er lachte und schob Fred in die Kabine, und dann gab er ihm eine Turnhose und warf ihm die Hallenschuhe von Bert zu und sagte: »Das erste Mal wird es auch mit Hallenschuhen gehen. Machen Sie schnell, die Jungen sind schon warm draußen. Bert hat seine Spikes. Er braucht die Hallenschuhe nicht.«

Fred zögerte, aber nach einer Weile zog er sich um und ging hinaus. Er spürte einen grausamen Druck in der Magengegend, als er ins Freie trat, und er sah, daß sie ihre Warmlaufübungen unterbrachen und ihn musterten. Sie hatten alle noch ihre Trainingsanzüge an, er war der einzige, der schon in der Turnhose dastand. Er hatte das Gefühl, daß seine Eingeweide gegen die Wirbelsäule gepreßt wurden, er hätte alles dafür gegeben, wenn er jetzt noch hätte aussteigen[17] können, aber Nobbe rief sie nun alle an die Plätze, und es war zu spät.

Die famosen Jungen stellten sich an der Startlinie auf. Es waren auch ein paar Zuschauer da, die unruhig über dem morschen Holzgeländer hingen und ab und zu etwas herüberriefen, und plötzlich hörte Fred auch seinen Namen, und als er den Kopf zur Seite wandte, entdeckte er Timm. Er saß auf dem Geländer und lachte, und sein Lachen war hell und ermunternd.

Dann gab Nobbe das Zeichen zum Start, und sie liefen los. Der Lauf war auf dreitausend Meter angesetzt, eine Distanz, die bei Wettkämpfen nicht gelaufen wird, aber für einen Steigerungslauf,[18] dafür war diese Strecke gut. Fred ging sofort an die Spitze, und schon nach vier Runden hatte er die famosen Jungen abgehängt, nur Bert ließ sich noch von ihm ziehen, aber ihn schüttelte er nach der fünften Runde ab, und dann wurde sein erster Lauf ein einsames Rennen für ihn, er lief leicht und regelmäßig, in einem Takt, den er nicht zu bestimmen brauchte, er spürte nicht seine Beine, nicht sein Herz, er spürte nichts auf der Welt als das Glück des Laufens, seine Schultern, die Arme, die Hüften: alles ordnete sich ein, diente dem Lauf, unterstützte ihn, und er gab keinen Meter an die Jungen ab, und als er durch das Ziel lief, blieb er stehen, als wäre nichts geschehen. Die zwei Dutzend Zuschauer krochen unter dem Geländer durch und starrten ihn ungläubig an, es waren Veteranen des Vereins, fördernde Mitglieder, und sie umkreisten und beobachteten ihn und taxierten seine Figur. Zwischen ihnen bahnte sich Timm mühevoll einen Weg, und als er Fred vor sich hatte, lief er auf ihn zu und schlang seine Hände um Freds Leib und hielt ihn fest.

Nobbe blickte auf die Stoppuhr, ging mit dem Zeigefinger über die Zahlenskala, zählte, und nachdem er die Zeit ausgerechnet hatte, kam er zu Fred und sagte:

»Gut. Das war eine saubere Zeit. Das war die beste Zeit, die bei uns gelaufen wurde. Ich habe nicht genau gestoppt. Aber die Zeit ist unverschämt gut. Um achtfünfzig.«

»Das ist nicht wichtig«, sagte Fred, »für mich ist das nicht entscheidend.«

Er entdeckte das blasse Gesicht von Bert und ging zu ihm, und Bert drückte ihm die Hand.

»Ich bin mit Ihren Schuhen gelaufen«, sagte Fred.

»Macht nichts«, sagte Bert.

»Vielleicht ging's darum so gut.«

»Ich hoffe, Sie bleiben bei uns.«

»Er wohnt bei uns«, rief Timm, »er ist ein Freund von meinem Bruder, und er schläft jetzt bei uns in der Küche.«

»Um so besser«, sagte Bert, »dann bleiben Sie wirklich bei uns. Ich würde mich freuen.« Und Fanny nickte . . .

An dies und an seine Anfänge damals im Hafensportverein dachte er, und jetzt waren noch genau vier Runden zu laufen, und Fred wußte, daß dies sein letzter Lauf war. Der Gewinn des Ländervergleichskampfs hing nur noch vom 5000-Meter-Lauf ab. Wer diesen Kampf gewann, hatte den Vergleichskampf gewonnen, daran konnte auch nichts mehr das Ergebnis bei den Stabhochspringern ändern.

Sie liefen immer noch in derselben Reihenfolge, der Marokkaner hinter ihm, und dann, dicht aufgeschlossen, Boritsch, Drouineau und die beiden Finnen. Das Stadion war gut zur Hälfte gefüllt, es waren mehr als zwanzigtausend Zuschauer da, und diese mehr als zwanzigtausend wußten, worum es ging, und sie schrien und klatschten und feuerten Fred an. In das Brausen ihrer Sprechchöre mischte sich das Brummen des alten Doppeldeckers, der in großen Schleifen Reklame flog, er kreiste hoffnungslos da oben, denn niemand sah ihn jetzt. Alle Blicke waren auf die Läufer gerichtet, mehr als vierzigtausend Augen verfolgten jeden ihrer Schritte, hängten sich an, liefen mit: es gab keinen mehr, der sich ausnahm, sie waren alle dabei; auch die, die auf den Zementbänken saßen, fühlten sich plötzlich zum Lauf verurteilt, auch sie kreisten um die Aschenbahn, hörten die keuchende Anstrengung des Gegners, spürten den mitleidlosen Widerstand des Windes und die Anspannung der Muskeln, es gab keine Entfernung, keinen Unterschied mehr zwischen denen, die auf den Zementbänken saßen, sie waren jetzt angewiesen aufeinander, sie brauchten sich gegenseitig. Dreieinhalb Runden waren noch zu laufen; die Bahn war schwer, aufgeweicht, eine tiefhängende Wolke verdeckte die Sonne, schräg jagte ein Regenschauer über das Stadion. Der Regen klatschte auf das Tribünendach und sprühte über die Aschenbahn, und die Zuschauer auf der Gegenseite spannten ihre Schirme auf. Die Gegenseite sah wie ein mit Schirmen bewaldeter Abhang aus, und über diesem Abhang hing der Qualm von Zigaretten, von Beruhigungszigaretten. Sie mußten sich beruhigen auf der Gegenseite, sie hielten es nicht mehr aus. Fred lief auf das riesige weiße Stoffplakat zu, er hörte die Stimme seines Trainers, der ihm die Zwischenzeit zurief, aber er achtete nicht auf die Zwischenzeit, er dachte nur daran, daß dies sein letzter Lauf war. Auch wenn er siegte, das wußte er, würden sie ihn nicht mehr aufstellen, denn dies war der letzte Start der Saison, und im nächsten Jahr würde es endgültig vorbei sein mit ihm. Im nächsten Jahr würde er fünfunddreißig sein, und dann würde man ihn um keinen Preis der Welt mehr aufstellen, auch sein Ruhm würde ihm nicht mehr helfen.

Er ging mit schwerem, hämmerndem Schritt in die Kurve, jeder Schritt dröhnte in seinem Kopf, schob ihn weiter – zwei letzte Runden, und er führte immer noch das Feld an. Aber dann hörte er es, er hörte den keuchenden Atem hinter sich, spürte ein brennendes Gefühl in seinem Nacken, und er wußte, daß El Mamin jetzt kam. El Mamin, der Marokkaner, war groß auf den letzten Metern, er hatte es in Mailand erfahren, als der nußbraune Athlet im Endspurt davonzog, hochhüftig und mit offenem Mund. Und jetzt war er wieder da, schob sich in herrlichem Schritt heran und ließ sich ziehen, und beide lagen weit und sicher vor dem Feld: niemand konnte sie mehr gefährden. Hinter ihnen hatten sich die Finnen vorgearbeitet, Boritsch und

Drouineau waren hoffnungslos abgeschlagen – hinter ihnen war der Lauf um die Plätze entschieden. Fred trat kürzer und schneller, er suchte sich frei zu machen von seinem Verfolger, aber der Atem, der ihn jagte, verstummte nicht, er blieb hörbar in seinem Nacken. Woher nimmt er die Kraft, dachte Fred, woher nimmt El Mamin diese furchtbare Kraft, ich muß jetzt loskommen von ihm, sonst hat er mich; wenn ich zehn Meter gewinne, dann kommt er nicht mehr ran.

Und Fred zog durch die Kurve, zusammengesackt und mit schweren Armen, und stampfte die Gegengerade hinab. Er hörte, wie sie die letzte Runde einläuteten,[19] und er trat noch einmal scharf an, um sich zu befreien, aber der Befehl, der im Kopf entstand, erreichte die Beine nicht, sie wurden um nichts schneller. Sie hämmerten schwer und hart über die Aschenbahn, in gnadenloser Gleichförmigkeit, sie ließen sich nicht befehlen. El Mamin kam immer noch nicht. Auch er kann nicht mehr, dachte Fred, auch El Mamin ist fertig, sonst wäre er schon vorbei, er hätte den Endspurt früher angesetzt, wenn er die Kraft gehabt hätte, aber er ist fertig und läßt sich nur ziehen. Aber plötzlich glaubte er den Atem des Marokkaners deutlich zu spüren. Jetzt ist er neben mir, dachte Fred, jetzt will er vorbei. Er sah die nußbraune Schulter neben sich auftauchen, den riesigen Schritt in den seinen fallen: der Marokkaner kam unwiderstehlich auf. Sie liefen Schulter an Schulter, in keuchender Anstrengung, und dann erhielt Fred den Schlag. Es war ein schneller, unbeweisbarer Schlag, der ihn in die Hüfte traf, er hatte den Arm des Marokkaners genau gespürt, und er taumelte gegen die Begrenzung der Aschenbahn, kam aus dem Schritt, fing sich sofort: und jetzt lag El Mamin vor ihm. Einen Meter vor sich erblickte Fred den Körper des nußbraunen Athleten, und er lief leicht und herrlich, als wäre nichts geschehen. Niemand hatte die Rempelei gesehen, nicht einmal Ahlborns Frettchengesicht, und der Marokkaner bog in die Zielgerade ein.

Hundert Meter, dachte Fred, er kann nicht mehr, er kann den Abstand nicht vergrößern, ich muß ihn abfangen. Und er schloß die Augen und trat noch einmal an; seine Halsmuskeln sprangen hervor, die Arme ruderten kurz und verkrampft, und sein

Schritt wurde schneller. Ich habe ihn, dachte er, ich gehe rechts an ihm vorbei. Und als er das dachte, stürzte der Marokkaner mit einem wilden Schrei zusammen, er fiel der Länge nach auf das Gesicht und rutschte über die nasse Schlacke der Aschenbahn.

Fred wußte nicht, was passiert war, er hatte nichts gespürt; er hatte nicht gemerkt, daß sein Nagelschuh auf die Ferse El Mamins geraten war, daß die Dornen seines Schuhs den Gegner umgeworfen hatten, er wußte nichts davon. Er lief durch das Zielband und fiel in die Decke, die Ahlborn bereit hielt. Er hörte nicht die klare, saubere Stimme im Lautsprecher, die ihn disqualifizierte, er hörte nicht den brausenden Lärm auf den Tribünen; er ließ sich widerstandslos auf den Rasen führen, eingerollt in die graue Decke, und er ließ sich auf die nasse Erde nieder und lag reglos da, ein graues, vergessenes Bündel.

Der Amüsierdoktor

Nichts bereitet mir größere Sorgen als Heiterkeit. Seit drei Jahren lebe ich bereits davon; seit drei Jahren beziehe ich mein Gehalt dafür, daß ich die auswärtigen Kunden unseres Unternehmens menschlich betreue: wenn die zehrenden Verhandlungen des Tages aufhören, werden die erschöpften Herren mir überstellt, und meinen Fähigkeiten bleibt es überlassen, ihnen zu belebendem Frohsinn zu verhelfen, zu einer Heiterkeit, die sie für weitere Verhandlungen innerlich lösen soll. »Heiter der Mensch – heiter die Abschlüsse«: in diese Worte faßte der erste Direktor meine Aufgabe zusammen, der ich nun schon seit drei Jahren zu genügen suche. Wodurch ich für diese Aufgabe überhaupt geeignet erschien, könnte ich heute nicht mehr sagen, den Ausschlag jedenfalls gab damals meine Promotion[1] zum Doktor der Rechte – weniger meine hanseatische Frohnatur, obwohl die natürlich auch berücksichtigt wurde.

Als Spezialist für die Aufheiterung der wesentlichen Kunden fing ich also an, und ich stellte meine Fähigkeiten in den Dienst eines Unternehmens, das Fischverarbeitungsmaschinen herstellte: Filettiermaschinen, Entgrätungsmaschinen, erstklassige Guillotinen, die den Fisch mit einem – vorher nie gekannten – Rundschnitt köpften, sodann gab es ein Modell, das einen zwei Meter langen Thunfisch in vier Sekunden zu Fischkarbonade machte, mit so sicheren, so tadellosen Hackschnitten, daß wir dem Modell den Namen »Robespierre«[2] gaben, ohne Besorgnis, in unseren Versprechen zu kühn gewesen zu sein. Ferner stellte das Unternehmen Fischtransportbänder her, Fangvorrichtungen für den Fischabfall und Ersatzteile in imponierendem Umfang. Da es sich um hochqualifizierte und sensible Maschinen handelte, besuchten uns Kunden aus aller Welt, kein Weg war zu lang: aus Japan kamen sie, aus Kanada und Hawaii, kamen aus Marokko und von der Küste des Schwarzen Meers, um

über Abschlüsse persönlich zu verhandeln. Und so hatte ich
denn nach den Verhandlungen die Aufgabe, gewissermaßen die
ganze Welt aufzuheitern.

Im großen und ganzen ist es mir auch – das darf ich für mich
in Anspruch nehmen – zum Besten des Unternehmens gelungen.
Chinesen und Südafrikaner, Koreaner und Norweger und
selbst ein seelisch vermummter Mensch aus Spitzbergen: sie alle
lernten durch mich die erquickende Macht des Frohsinns kennen, die jeden Verhandlungskrampf löst. Unsere abendlichen
Streifzüge durch das Vergnügungsviertel warfen so viel Heiterkeit ab, daß man sie durchaus als eine Art Massage des Herzens
beziehungsweise der Brieftasche ansehen konnte. Indem ich auf
nationale Temperamente einging, jedesmal andere Zündschnüre
der Heiterkeit legte, gelang es mir ohne besondere Schwierigkeiten, unsere Kunden menschlich zu betreuen oder, wenn man
einen modernen Ausdruck nehmen will: für *good will* zu sorgen.
Auf kürzestem Weg führte ich die Herren ins Vergnügen. Der
Humor wurde mein Metier, und selbst bei dem seelisch ver-
mummten Menschen aus Spitzbergen war ich erfolgreich und
überlieferte ihn dem Amüsement. Ich ging in meinen Beruf auf,
ich liebte ihn, besonders nachdem sie mir eine zufriedenstellende
Gehaltserhöhung zugesichert hatten.

Doch seit einiger Zeit wird die Liebe zu meinem Beruf durch
Augenblicke des Zweifels unterbrochen, und wenn nicht durch
Zweifel, dann durch einen besonderen Argwohn. Ich fürchte
meine Sicherheit verloren zu haben, vor allem aber habe ich
den Eindruck, daß ich für meine Arbeit entschieden unter-
bezahlt werde, denn nie zuvor war mir bewußt, welch ein
Risiko ich mitunter laufe, welch eine Gefahr. Diese Einsicht hat
sich erst in der letzten Zeit ergeben. Und ich glaube nun zu
wissen, woraus sie sich ergeben hat.

Schuld an allem ist einzig und allein Pachulka-Sbirr, ein
riesiger Kunde von der entlegenen Inselgruppe der Alëuten.[3]
Ich erinnere mich noch, wie ich ihn zum ersten Mal sah: das
gelbhäutige, grimmige Gesicht, die Bärenfellmütze, die zerknitterten Stiefel, und ich höre auch noch seine Stimme, die so
klang, wie ich mir die Brandung vor seinen heimatlichen Inseln
vorstelle. Als er mir von der Direktion überstellt wurde und

zum ersten Mal grimmig in mein Zimmer trat, erschrak ich leicht, doch schon bald war ich zuversichtlich genug, auch Pachulka-Sbirr durch Frohsinn seelisch aufzulockern. Nach einem Wasserglas Kirschgeist, mit dem ich anheizte, schob ich den finsteren Kunden ins Auto und fuhr ihn in unser Vergnügungsviertel – fest davon überzeugt, daß meine Erfahrungen in der Produktion von Heiterkeit auch in seinem Fall ausreichen würden.

Wir ließen die Schießbuden aus, den Ort, an dem unsere japanischen Kunden bereits fröhlich zu zwitschern begannen, denn ich dachte, daß Pachulka-Sbirr handfester aufgeheitert werden müßte, solider sozusagen. Wir fielen gleich in Fietes Lokal ein, in dem sich, von Zeit zu Zeit, drei Damen künstlerisch entkleideten. Ich kannte die Damen gut; oft hatten sie mir geholfen, verstockte skandinavische Kunden, die in Gedanken von den Verhandlungen nicht loskamen, in moussierende Fröhlichkeit zu versetzen, und so gab ich ihnen auch diesmal einen Wink. Sie versprachen, mir zu helfen.

Der Augenblick kam: die Damen entkleideten sich künstlerisch, und dann, wie es bei Fiete üblich ist, wurde ein Gast gesucht, der als zivilisierter Paris[4] einer der Damen den Apfel überreichen sollte. Wie verabredet, wurde Pachulka-Sbirr dazu ausersehen. Er ging, der riesige Kunde, in die Mitte des Raums, erhielt den Apfel und starrte die entkleideten Damen so finster und drohend an, daß ein kleines Erschrecken auf ihren Gesichtern erschien und sie sich instinktiv einige Schritte zurückzogen. Plötzlich, in der beklemmenden Stille, schob Pachulka-Sbirr den Apfel in den Mund, das brechende, mahlende Geräusch seiner kräftigen Kauwerkzeuge[5] erklang, und unter der sprachlosen Verwunderung aller Gäste kam er an unseren Tisch, setzte sich und starrte grimmig vor sich hin.

Ich gab nicht auf. Ich wußte, wieviel ich dem Unternehmen, wieviel ich auch mir selbst schuldig war, und ich erzählte ihm aus meinem festen Bestand an heiteren Geschichten, deren Wirkung ich bei schweigsamen Finnen, bei Iren und wortkargen Färöer-Bewohnern[6] erfolgreich erprobt hatte. Pachulka-Sbirr saß da in einer Haltung grimmigen Zuhörens und regte sich nicht.

Irritiert verließ ich mit ihm Fietes Lokal, wir zogen zu Max

hinüber, fanden unsern reservierten Tisch und bestellten eine
Flasche Kirschgeist. Spätestens bei Max war es mir gelungen,
brummige Amerikaner, noch brummigere Alaskaner in Stim-
mung zu versetzen. Denn im Lokal von Max spielte eine
Kapelle, die sich ihren Dirigenten unter den Gästen suchte.
Amerikaner und Alaskaner sind gewohnt, über weites Land zu
herrschen; das Reich der Melodien ist ein weites Land, und
sobald unsere Kunden darüber herrschen durften, löste sich
bei ihnen der Krampf der Verhandlungen, und Heiterkeit, reine
Heiterkeit, erfüllte sie. Da die Alëuten nicht allzu weit von
Alaska entfernt sind, glaubte ich Pachulka-Sbirr in gleicher
Weise Heiterkeit verschaffen zu können, und nach heimlicher
Verständigung stapfte er zum Dirigentenpult – die Bärenfellmütze, die er nie ablegte, auf dem Kopf und an den Füßen die
zerknitterten Stiefel. Er nahm den Stab in Empfang. Er ließ ihn
wie eine Peitsche durch die Luft sausen, worauf sich die Musi-
ker spontan duckten. Gemächlich zwang er sodann den Stab
zwischen Hemd und Haut, um sich den riesigen Rücken zu
kratzen. Ich weiß auch nicht, wie es geschehen konnte: unvermutet jedoch riß er den Stab heraus, zerbrach ihn – offenbar
reichte er nicht bis zu den juckenden Stellen seines Rückens –
und schleuderte ihn in die Kapelle. Mit düsterem Gesicht,
während sich die Trompeten einzeln und bang hervorwagten,
kam er an den Tisch zurück.

Verzweifelt beobachtete ich Pachulka-Sbirr. Nein, ich war
noch nicht bereit, aufzugeben: mein Ehrgeiz erwachte, ein Be-
rufs-Stolz, den jeder empfindet, und ich schwor mir, ihn nicht
ins Hotel zu bringen, bevor es mir nicht gelungen wäre, auch
diesen Kunden froh zu stimmen. Ich erinnere mich daran, daß
sie mich in der Fabrik den »Amüsierdoktor« nannten, und zwar
nicht ohne Anerkennung, und ich wollte beweisen, daß ich
diesen Namen verdiente. Ich beschloß, alles zu riskieren. Ich
erzählte ihm die Witze, die ich bisher nur gewagt hatte, einem
sibirischen Kunden zu erzählen – als letzte Zuflucht gewissermaßen. Pachulka-Sbirr schwieg finster. Das finstere Schweigen
schwand nicht von seinem gelbhäutigen Gesicht, welche Mühe
ich mir auch mit ihm gab. Der Ritt auf einem Maultier, der
Besuch in einem Zerrspiegel-Kabinett, erotische Filme und

einige weitere Flaschen Kirschgeist: nichts schien dazu geeignet, seine Stimmung zu heben.

Wanda hatte ich mir bis zuletzt aufgehoben, und nachdem alles andere seine Wirkung verfehlt hatte, gingen wir zu Wanda, die allnächtlich zweimal in einem sehr großen Kelch Champagner badete. Auf Wanda setzte ich meine letzten Hoffnungen. Ihre Kinder und meine Kinder gehen zusammen zur Schule, gelegentlich tauscht sie mit meiner Frau Ableger für das Blumenfenster; unser Verhältnis ist fast familiär, und so fiel es mir leicht, Wanda ins Vertrauen zu ziehen und ihr zu sagen, was auf dem Spiel stand. Auch Wanda versprach, mi zu helfen. Und als sie nach einem Gast suchte, der ihr beim Verlassen des Sekt-Bades assistieren sollte, fiel ihre Wahl mit schöner Unbefangenheit auf Pachulka-Sbirr. Ich glaubte, gewonnen zu haben; denn schon einmal hatte mir Wanda geholfen, einen besonders eisigen Kunden vom Baikalsee[7] aufzutauen. Diesmal mußte es ihr auch gelingen! Doch zu meinem Entsetzen mißlang der Versuch. Ja, ich war entsetzt, als Pachulka-Sbirr auf die Bühne trat, vor das sehr große Sektglas, in dem sich Wanda – was man ihr als Flüchtling[8] nicht zugetraut hätte – vieldeutig räkelte. Sie lächelte ihn an. Sie hielt ihm ihre Arme entgegen. Die Zuschauer klatschten und klatschten. Da warf sich Pachulka-Sbirr auf die Knie, senkte sein Gesicht über den Sektkelch und begann schnaufend zu trinken – mit dem Erfolg, daß Wanda sich in kurzer Zeit auf dem Trocknen befand und nun keine Hilfe mehr benötigte. Sie warf mir einen verzweifelten Blick zu, den ich mit der gleichen Verzweiflung erwiderte. Ich war bereit, zu kapitulieren.

Doch gegen Morgen kam unverhofft meine Chance. Pachulka-Sbirr wollte noch einmal die Maschinen sehen, derentwegen er die weite Reise gemacht hatte. Wir fuhren in die Fabrik und betraten die Ausstellungshalle. Wir waren allein, denn der Pförtner kannte mich und kannte auch bereits ihn und ließ uns ungehindert passieren. Düster sinnend legte Pachulka-Sbirr seine Hand auf die Maschinen, rüttelte an ihnen, lauschte in sie hinein, ließ sich noch einmal die Mechanismen von mir erklären, und dabei machte er Notizen in einem Taschenkalender. Jede Maschine interessierte ihn, am meisten jedoch interessierte ihn unser Modell »Robespierre«, das in der Lage ist, einen zwei Meter langen Thunfisch in vier Sekunden zu Fischkarbonade zu machen, und zwar mit faszinierenden Schnitten. Als wir vor dem »Robespierre« standen, steckte er den Taschenkalender ein. Er ging daran, den Höhepunkt unserer Leistung eingehend zu untersuchen. Gelegentlich pfiff er vor Bewunderung durch die Zähne, schnalzte oder stieß Zischlaute aus, und ich spürte wohl, wie er diesem Modell zunehmend verfiel. Zur letzten Entscheidung aber, zu dem befreienden Entschluß, unsern »Robespierre« zu kaufen, konnte er offenbar nicht finden, und um Pachulka-Sbirr diesen Entschluß zu erleichtern, sprang ich auf die Maschine und legte mich auf die metallene, gut gefederte Hackwanne. Der Augenschein, dachte ich, wird seine Entscheidung beschleunigen, und ich streckte mich aus und lag wie ein Thunfisch da, der in vier Sekunden zu Fischkarbonade verarbeitet werden soll. Ich blickte hinauf zu den extra gehärteten Messern, die lustig über meinem Hals blinkten. Sie waren sehr schwer und wurden nur von dünnen Stützen gehalten, die mit einem schlichten Hebeldruck beseitigt werden konnten. Lächelnd räkelte ich mich in der Hackwanne hin und her, denn ich wollte Pachulka-Sbirr verständlich machen, daß es auch für den Thunfisch eine Wohltat sein müßte, auf unserem Modell zu liegen. Pachulka-Sbirr lächelte nicht zurück. Er erkundigte sich bei mir, durch welchen Hebeldruck die Messer ausgeklinkt würden. Ich sagte es ihm. Und da ich es ihm sagte, sah ich auch schon, wie die Stützen blitzschnell die Messer freigaben. Die Messer lösten sich. Sie sausten auf mich herab. Doch unmittelbar vor meinem Hals blockierten sie und federten knirschend zurück: die Schnittdruck-Vorrichtung klemmte. Zitternd, zu Tode erschreckt, zog ich mich aus der Hackwanne heraus. Ich suchte das Gesicht von Pachulka-Sbirr: ja, und jetzt lag auf seinem Gesicht ein zufriedenes Lächeln. Er lächelte, und in diesem Augenblick schien mir nichts wichtiger zu sein als dies.

Heute allerdings ist unser Modell »Robespierre« noch mehr ausgereift, die Schnittvorrichtung klemmt niemals, und ich frage mich, wie weit ich gehen darf, wenn wieder ein Pachulka-Sbirr von den Aleüten zu uns kommt. Durch ihn habe ich

erfahren, wie groß mein Risiko ständig ist und daß berufs-
mäßige Verbreitung von Heiterkeit nicht überbezahlt werden
kann. Ich glaube, daß ich die Gefahr erkannt habe, denn wenn
ich heutzutage an Heiterkeit denke, sehe ich über mir lustig
blinkende Messer schweben, extra gehärtet . . .

Das Wrack

Auf der Heimfahrt entdeckte Baraby das Wrack. Es lag nicht allzu tief, ein langer, dunkler Schatten, der die Farbe der Wasseroberfläche veränderte; es mußte ein älteres Wrack sein, denn er hatte in letzter Zeit von keinem Schiffsuntergang gehört, und es lag weit ab von der Fahrrinne. Es lag in der Nähe der Halbinsel, wo der Strom mehr als vier Meilen breit war, und es gab dem Wasser über ihm die Farbe eines alten Bleirohrs, stumpf und grau.

Baraby hatte das Wrack nie zuvor entdeckt, obwohl er den Fluß gut kannte; es war in keiner Karte eingezeichnet, und im Dorf wußte auch niemand etwas davon. Vielleicht hätte er das Wrack früher entdeckt, wenn er noch bei der Halbinsel gefischt hätte, aber seit einigen Jahren fuhren die Flußfischer weit in das Mündungsgebiet hinaus; sie legten die Angeln draußen aus und auch die Reusen, es gab am ganzen Strom nur noch eine Handvoll Flußfischer; ein elendes Geschäft war es geworden, zufällig und armselig, und die meisten hatten damit aufgehört.

Weil Baraby auch im Mündungsgebiet fischte, hatte er das Wrack erst jetzt entdeckt. Er stellte den Außenbordmotor ab, und das schwere, breitplankige Boot glitt sanft aus, glitt über den Schatten des Wracks hinaus, stand einen Augenblick still, wurde von der Strömung erfaßt und langsam zurückgetrieben. Der Mann beugte sich über die Bordwand und blickte ins Wasser, und er sah sein Gesicht im Wasser auftauchen, verzerrt und trübe, er sah, als er sich weiter hinabbeugte, sein Gesicht deutlicher werden, erkannte das Kinn und die Backenknochen und den Schädel, und er sah seinen alten, mageren Hals und ein Stück des durchgescheuerten Hemdkragens.

Plötzlich wurde das Wasser dunkel, und der Mann glaubte einen jähen kalten Luftzug zu verspüren, er erfaßte die Klar-

scheibe, die neben ihm auf der Ducht[1] lag, und hielt sie ins
Wasser. Er ließ sich von der Strömung über das Wrack treiben
und starrte angestrengt in die Tiefe; er sah hinab in die düstere,
grünlich schimmernde Einsamkeit, er sah das Ewigtreibende im
lautlosen Strom des Wassers, und darunter, auf dem Boden des
Flusses, erkannte er die genauen Umrisse des Wracks.

Er richtete sich auf und schaute zurück; der Schatten des
Wracks wurde kleiner, er verschwand, während sich eine Wolke
vor die Sonne schob, vollends, und der Mann ruderte gegen die
Strömung an, und als er sich über dem Wrack befand, lotete er
die Tiefe. Er warf das Lot mehrmals aus, und es zeigte immer
dieselbe Tiefe, aber unvermutet lief die Leine nur kurz aus und
blieb schlaff im Wasser hängen, und da wußte er, daß das Lot
auf dem Wrack lag. Baraby zog die Leine vorsichtig an, er holte
sie, um mehr Gefühl zu haben, über den Zeigefinger ein, und er
spürte kleine Stöße und Erschütterungen: das Lot schleifte
über das Wrack, blieb manchmal für einen Augenblick hängen,
so daß sich die Leine straffte, und der Mann fühlte, wie eine
eigentümliche Unruhe ihn ergriff, der Wunsch, an das Wrack zu
gelangen, das kaum zwanzig Meter unter ihm lag und groß war,
schwarz und unbekannt. Er war allein auf dem Strom, und er
ließ sich mehrmals über die Stelle treiben, wo das Wrack lag,
aber er konnte nichts erkennen. Er wußte nur, daß es da war,
ein Wrack, das nur er allein kannte. Die anderen Wracks, die
im Strom gelegen hatten, waren längst gehoben oder unter
Wasser gesprengt worden: was er wußte, wußte er allein.
Baraby merkte sich eine genaue Markierung an Land und warf
den Außenbordmotor an; er fuhr knapp um die Halbinsel
herum und dicht unter Land weiter, und er war erfüllt von dem
Gedanken an das Wrack.

Auf dem Landungssteg stand Willi, er war barfuß und hatte
ausgebleichtes Haar und einen sonnenverbrannten Nacken,
und er stand vorn auf der äußersten Spitze des Stegs und sah
wortlos dem Anlegemanöver seines Vaters zu. Als das Boot
gegen den Steg stieß, warf Baraby eine Leine hinauf, und der
Junge fing die Leine auf und befestigte sie wortlos an einem
Pfahl, und dann sprang er ins Boot und öffnete den Fischkasten
in der Mitte; es waren nur wenige Aale drin. Sie holten die Aale

heraus und warfen sie in eine Kiste, und der Junge hob die
Kiste auf den Kopf und trug sie über den Landungssteg fort.
Baraby verließ das Boot und ging zu den Hügeln, wo das Haus
lag, es war ein altes, niedriges Haus mit kleinen Fenstern und
einem kaum benutzten Vordereingang; der Mann betrat das
Haus von der Rückseite, und nachdem er Kaffee getrunken
hatte, ging er zu seinem Lager und legte sich hin und dachte an
das Wrack. Er dachte an seinen Schatten und daran, daß es
auf keiner Karte eingezeichnet war, er dachte an den Boden
des Stromes, auf dem es lag, und an die Tiefe, die ihn selbst vom
Wrack trennte, und während er daran dachte, wußte er, daß er
zu ihm hinabdringen würde, er würde unbemerkt an das Wrack
gelangen. Vielleicht, dachte er, ist es ein Passagierdampfer, der
noch voll ist; vielleicht ist genug in dem Wrack drin, daß es für
ein ganzes Jahr ausreicht – es war alles noch nicht so lange her,
und er erinnerte sich, daß sie sogar das Bier hatten trinken
können, das sie aus einem anderen Wrack geborgen hatten.

Er stand auf und ging wieder zum Boot hinab. Im Boot saß
der Junge; er befestigte neue Haken an der Aalschnur und sagte
kein Wort, als sein Vater über ihm auf dem Steg stand. Baraby
stand mit zusammengekniffenen Augen auf dem Steg, er stand
aufrecht unter der sengenden Sonne, die Hände in den Taschen,
und sah dem Jungen zu. Und plötzlich sagte er: »Mach Schluß,
Junge. Ich brauche dich jetzt. Leg die Haken weg und hör mir
zu. Ich werde jetzt gleich rausfahren, Junge, und du wirst mit-
kommen. Du wirst mit mir hinausfahren, aber du mußt mir
schwören, daß du zu keinem ein Wort sagst von dem, was du zu
sehen bekommst. Zu keinem, Junge, hast du gehört?«

»Ja, Vater«, sagte der Junge.

»Wir werden zur Halbinsel fahren. Um diese Zeit kommt da
niemand vorbei. Wir werden das Boot verankern, Junge, und
dann will ich runter. Ich habe ein Wrack gefunden, drüben, bei
der Halbinsel, und ich werde runtergehen und allerhand raufholen. Du wirst keinem Menschen etwas sagen, Junge. Wenn
du redest, ist es vorbei.«

»Ja, Vater«, sagte der Junge, »ist gut.« [2]

Baraby warf eine lange Ankerleine ins Boot und stieg ein. Er
warf den Motor nicht an, denn wenn der Motor zu dieser Zeit

gelaufen wäre, hätten sie auf dem Hügel ihre Köpfe ans Fenster geschoben, darum nahm er die Riemen und stieß das Boot weit in den Fluß hinaus. Es wurde von der Strömung erfaßt und trieb langsam flußabwärts, es trieb auf die Halbinsel zu, und vorn im Boot stand der Junge und hielt Ausschau nach dem Wrack. Noch vor der Markierung warf Baraby den Anker, er glitt einige Meter über den Grund und setzte sich dann fest, und der Mann steckte so lange Leine nach, bis das Boot über dem sichtbaren Schatten des Wracks lag. Er wartete, bis Zug auf die Ankerleine kam und das Boot festlag, dann beugte er sich weit über den Bootsrand und rief den Jungen zu sich, und beide lagen nebeneinander und sahen stumm in den Fluß. Sie erkannten, weit unter dem düsteren Grün des Wassers, eine scharf abfallende dunkle Fläche, sie sahen schwarze Gegenstände auf dieser Fläche und wußten, daß es das Wrack war.

»Da liegt es«, sagte der Mann. »Es ist groß, Junge, es ist wohl achtzig oder noch mehr Meter lang. Siehst du es?«

»Ja«, sagte der Junge, »ja, ich sehe es genau.«

»Ich will es versuchen«, sagte der Mann. »Ich werde heute nicht weit runterkommen, ich werde es nicht schaffen. Aber ich werde es mir aus der Nähe ansehen.«

»Es ist ein Passagierdampfer«, sagte der Junge. »Vielleicht sind da noch Leute drin, Vater. Es ist bestimmt ein Passagierdampfer.«

»Vielleicht, Junge. Wir müssen abwarten. Du wirst zu keinem Menschen ein Wort sagen. Das ist unser Wrack, wir haben es entdeckt, und darum gehört es uns allein. Wir können es brauchen, Junge, wir haben es nie nötiger gehabt als jetzt. Das Wrack wird uns helfen. Wir werden raufholen, was wir raufholen können, und du wirst zu keinem Menschen ein Wort sagen.«

»Ja«, sagte der Junge.

Der Mann begann sich zu entkleiden; er trug schwarze Wasserstiefel, die mit roten Schlauchstücken geflickt waren, und zuerst zog er die Stiefel aus und dann die Jacke und das Hemd. Der Junge sah schweigend zu, wie der Mann sich entkleidete, er hielt die Brille mit den Klarscheiben in der Hand, und als der Mann nur noch mit der Manchesterhose bekleidet war, reichte er ihm die Brille und sagte: »Ich werde aufpassen, Vater. Ich bleibe oben und passe auf.«

Baraby legte die Brille um und schwang sich über die Bordwand, er glitt rückwärts ins Wasser, die Hände am Bootsrand. Er lächelte dem Jungen zu, aber der Junge erwiderte dies Lächeln nicht, er blieb ernst und ruhig und blickte auf die rissigen Hände seines Vaters, die an den Knöcheln weiß wurden.

»Jetzt«, sagte der Mann, und er richtete sich steil auf und ließ sich hinabfallen. Er tauchte an der Spitze des Bootes weg, kerzengerade, und der Junge warf sich über den Bootsrand und sah ihm nach. Und er sah, wie der Mann drei Meter hinabschoß und wie kleine Blasen an ihm hochstiegen, aber dann fand die Kraft des Sturzes ihr Ende, und Baraby stieß den Kopf nach unten und versuchte, Tiefe zu gewinnen. Er schwamm mit kräftigen Stößen nach unten, aber die Strömung war zu stark; obwohl er verzweifelt gegen sie anschwamm, trieb ihn die Strömung unter das Boot, und er schien zu merken, daß er hoffnungslos vom Liegeplatz des Wracks abgedrängt wurde, denn schon nach kurzer Zeit sah der Junge, wie der Körper seines Vaters eine plötzliche Aufwärtsbewegung machte und mit energischen Bewegungen zur Oberfläche strebte.

Der Mann tauchte knapp hinter dem Boot auf, und der Junge hielt ihm einen Riemen hin und zog ihn an die Bordwand heran.

»Es ist zuviel Strömung«, sagte Baraby. »Du hast gesehen, Junge, wie mich die Strömung abtrieb. Aber sie ist nicht so stark wie draußen in der Mündung, sie wird durch die Halbinsel verringert.«

Er atmete schnell, und der Junge sah auf seine Schultern und in sein nasses Gesicht.

»Ich werde es noch einmal versuchen«, sagte der Mann. »Wenn ich noch drei Meter tiefer komme, werde ich mehr sehen. Ich werde es jetzt anders machen, Junge. Ich werde an der Ankerleine ein Stück runtergehen, und wenn ich tief genug bin, lasse ich mich treiben. Die Strömung wird mich genau über das Wrack treiben, und dann werde ich mehr sehen können. Hoffentlich komme ich solange mit der Luft aus.«

»Ja«, sagte der Junge.

Der Mann zog sich an der Bordwand um das Boot herum, dann griff er nach der Ankerleine und zog sich weiter gegen die Strömung voran, und schließlich tauchte er, ohne zurückgesehen zu haben. Er brachte sich mit kurzen, wuchtigen Zugriffen in die Tiefe, und als er einen leichten Druck spürte, gab er das Seil frei und überließ sich der Strömung. Während die Strömung ihn mitnahm, machte er noch einige Stöße hinab, und jetzt war er mehrere Meter tiefer als beim ersten Versuch. Er hielt in der Bewegung inne und überließ sich völlig der Strömung, und dann sah er eine breite, dunkle Wand auftauchen, das Wrack. Es lag quer zur Strömung und mit leichter Krängung auf dem Grund des Flusses, und es war kein Passagierdampfer. Das Deck des Wracks war erhöht, oder es schien zuerst, als ob es erhöht wäre, doch dann erkannte Baraby, daß es Fahrzeuge waren, Autos, die mit Drahtseilen zusammengehalten wurden, große Lastwagen und auch einige Fuhrwerke. Er sah einen Schwarm von Fischen zwischen den Lastwagen, sie zuckten zwischen ihnen hindurch, verschwanden hinter den Aufbauten, und das Wrack lag da, als sei es vor kurzem beladen worden und warte nur darauf, die Leinen loszuwerfen. Dann sah der Mann einen scharfen Schatten und wußte, daß er über das Wrack hinausgetrieben war; er hob den Oberkörper empor, und die Strömung drückte gegen seine Brust und richtete ihn unter Wasser auf. Er riß die Arme weit nach oben und gelangte mit einigen starken Stößen ans Licht.

Der Junge sah ihn forschend an, er nahm die Klarscheiben in Empfang, die der Mann hinaufreichte, und ging wieder nach vorn. Der Mann kletterte in das Boot, er war erschöpft und lächelte unsicher, und die Haut über seiner Bauchhöhle zitterte.

»Ich habe ihn gesehen«, sagte er, »es ist kein Passagierdampfer, Junge, aber er ist voll. Es muß ihn bei der Ausfahrt erwischt haben, denn auf dem Deck stehen noch Autos und Fuhrwerke. Er ist voll, und wir werden eine Menge heraufholen können. Aber du darfst zu keinem Menschen darüber sprechen, Junge. Heute hab ich's noch nicht geschafft, aber ich werde es in den nächsten Tagen wieder versuchen; wir werden es so lange versuchen, Junge, bis wir an das Wrack kommen. Da liegt noch die ganze Ladung unten, das Wrack ist unberührt.«

Baraby ließ seinen Körper an der Sonne trocknen, dann kleidete er sich an, und nachdem er angezogen war, zerrte er das Boot an der Leine gegen den Strom und brach den Anker aus dem Grund. Sie fuhren wortlos zum Anlegesteg und gingen nebeneinander den Hügel hinauf zum Haus, und sie dachten beide an das Wrack.

Am folgenden Tag fuhren sie wieder zu der Liegestelle des Wracks, Baraby hatte keine Reusen im Mündungsgebiet aufgestellt; sie fuhren schon morgens zur Halbinsel hinaus, als noch Nebel über dem Strom lag, und der Mann ließ sich in das kalte, langsam strömende Wasser hinab und tauchte. Sie fuhren Tag für Tag dorthin, wo das Wrack lag, und zweimal gelang es Baraby, bis zum Deck des gesunkenen Schiffes hinabzukommen, es gelang ihm sogar, sich für einen Augenblick an einem der angezurrten Lastwagen festzuhalten, aber länger konnte er nicht unten bleiben, die Luft reichte nicht aus. Einmal brachte er eine Konservendose empor, die auf der verrotteten Ladefläche eines Lastwagens gelegen hatte; sie öffneten die Konservendose und fanden Kohl darin.

Das war der einzige Erfolg. Aber je öfter der Mann hinabtauchte, desto ungeduldiger wurde er, und desto größer wurde seine Zuversicht, daß das Wrack noch unberührt und beladen war. Und wenn er sich hinabließ in die grüne Dunkelheit unten, spürte er die Nähe des Gewinns und des Sieges, und manchmal stieg er nur hinab, um dieses Gefühl zu haben. Er wußte, daß das Wrack ihm einmal endgültig gehören, daß er in sein Inneres eindringen und alles, was in ihm lag, bergen würde. Baraby wußte es. Er fuhr nur selten ins Mündungsgebiet hinaus, um die Schnüre und Reusen auszulegen, er verbrachte die meiste Zeit am Wrack, und der Junge begleitete ihn jedesmal und hing über der Bordwand und starrte ins Wasser.

Aber eines Tages, an einem unruhigen Vormittag, als der Wind kurze Wellen den Strom hinauftrieb und sie gegen die Halbinsel warf, tauchte der Mann neben dem Boot auf und schüttelte den Kopf. Er kletterte hinein, warf die Jacke über den bloßen Körper und setzte sich auf eine Ducht und sah blaß aus und kraftlos und alt. Er blickte auf den Jungen und sagte: »Ich schaffe es nicht. Ich komme nicht in das Wrack hinein, Junge, ich habe alles versucht. Ich weiß genau, wo der Niedergang ist und wie die Strömung über das Wrack geht, ich kenne alles genau, aber mir fehlt die Luft. Ich habe zu wenig Luft, Junge.«

»Ja, Vater«, sagte der Junge.

»Aber wir werden es trotzdem schaffen: wir werden zurückfahren, und am Abend gehen wir zur Werft, ich werde den Außenbordmotor verkaufen.« Der Junge hob den Kopf und sah auf seinen Vater.

»Ja«, sagte der Mann, »ich werde den Motor verkaufen. Es hat keinen Zweck mehr, Junge, wir fangen nichts mehr auf dem Fluß, und draußen in der Mündung ist es nicht besser. Ich weiß, daß wir ohne den Motor nicht viel machen können auf dem Fluß, aber ich werde ihn trotzdem verkaufen. Ich werde den Motor einem von der Werft geben, der sucht schon lange einen, und dann werden wir uns ein Sauerstoffgerät besorgen. Ich werde ein altes besorgen, auf der Werft haben sie das, und mit dem Gerät werden wir zum Wrack zurückkommen. Das sind zwei kurze, dicke Stahlflaschen, Junge, und wenn ich die auf den Rücken nehme und habe einen guten Schlauch, dann kann ich vierzig Minuten unten am Wrack bleiben, und in vierzig Minuten kann ich allerhand raufholen. In vierzig Minuten schleppe ich das Boot voll. Und da ist eine Menge drin in dem Wrack. Das siehst du an den Autos.«

»Ja«, sagte der Junge.

Sie gingen gemeinsam zur Werft und fanden den Mann, der den Außenbordmotor haben wollte, und der Mann besorgte ihnen das Sauerstoffgerät. Baraby trug es in einem Sack auf der Schulter nach Hause. Er probierte es an der Halbinsel aus, in seichtem Wasser, wo der Grund sandig und locker war, und der Junge stand vorn im Boot und beobachtete seinen Vater. Baraby wollte sich erst an das Sauerstoffgerät gewöhnen, bevor er zum Wrack hinabstieg; er brauchte eine ganze Weile dazu, der Druck, der durch die eingeklemmte Nase in seinem Schädel entstand, machte ihm zu schaffen, aber schließlich traute er sich zu, in das Wrack einzudringen.

Er hatte sich eine Unterwasserlampe gebaut, es war eine breite Taschenlampe, die in eine durchsichtige, wasserdichte Hülle eingenäht war, er hatte sie ausprobiert, und sie warf ein

kräftiges Licht. Er verwahrte die Taschenlampe und das Sauerstoffgerät abends im Boot, und am nächsten Morgen ließen sie
sich den Strom hinabtreiben und warfen vor dem Wrack den
Anker aus; sie warteten, bis der Anker festsaß und Zug auf die
Leine kam, dann entkleidete sich der Mann, und der Junge
reichte ihm die Klarscheiben und befestigte die Riemen des
Sauerstoffgerätes unter der Achsel. Baraby nahm die Taschenlampe und ließ sich über den Bootsrand hinab; langsam senkte
sich sein Oberkörper, der Hals verschwand, das Kinn, und
schließlich das Gesicht, das mit den Klarscheiben wie ein
riesiges Insektengesicht aussah; er verschwand mit grausamer
Langsamkeit, und der Junge warf sich wie erlöst über den
Bootsrand, als die ersten Blasen an der Oberfläche erschienen.

Baraby hatte eine Leine um seine Brust gebunden, es war ein
dünnes, starkes Tau, das durch die Hände des Jungen lief und
dessen Ende, damit es nicht ausrutschen konnte, um eine Ducht
geschlagen war. Der Junge spürte, wie die Leine ruhig und
gleichmäßig durch seine Hand lief, er achtete kaum darauf, er
sah nur ins Wasser, wo er den sanft sinkenden Körper seines
Vaters mit den Blicken begleitete, und dann fühlte er, daß die
Leine nicht mehr auslief, und er wußte, daß sein Vater das
Wrack erreicht hatte.

Baraby stand auf dem schrägen Deck des Wracks, er hielt
sich an der Reling fest und spürte, wie die Strömung leicht an
seinem Körper zerrte. Er blieb einen Augenblick so stehen und
prüfte seinen Atem, doch das Gerät arbeitete gut und versorgte
ihn mit Luft. Er fühlte sich sicher und zuversichtlich und war
froh, daß er den Außenbordmotor weggegeben hatte; er war
allein unter Wasser, und er sah sich um mit dem Blick eines
Besitzers, der sein neues Land prüft. Er sah auch hinauf zum
Himmel, aber er erkannte nur die trübe Silhouette des Bootes
und den Kopf des Jungen, der über der Bordwand lag und zu
ihm hinabstarrte; er winkte hinauf, obwohl er wußte, daß dieses
Winken verloren, daß es oben nicht zu erkennen war.

Dann ließ er die Reling los, und die Strömung trieb ihn auf
die Lastwagen zu; sie standen ausgerichtet auf Deck, immer
zwei nebeneinander, und es hatte den Anschein, als sei ihnen
nichts geschehen. Aber sie waren unbrauchbar und verrottet,

und das Führerhaus und die Ladefläche waren bei allen voll von Schlamm; Baraby versuchte den Schlamm an einer Stelle mit dem Fuß zu entfernen, der Schlamm war zäh. Er sah, daß die Lastwagen zu nichts mehr taugten, und er schaltete die Taschenlampe ein und schwamm auf einen offenen Niedergang zu. Er wollte in das Wrack eindringen und bewegte sich über den verschlammten Niedergang abwärts. Der Schein der Lampe wurde klein und armselig und kämpfte mit der Dunkelheit, er riß sie nur wenig auf, er gelangte nicht weit. Baraby verhielt und zog die Leine nach, die oben durch die Hände des Jungen lief, und er hatte das Gefühl, daß die Leine hinaufreichte bis zum Himmel.

Plötzlich kam er in einen eiskalten Sog; er richtete den Strahl der Lampe zur Seite, es war ein großes ausgezacktes Loch an der Seite, durch das er in den Maschinenraum sehen konnte; der Schein fiel auf den hohen Kessel, glitt an ihm vorbei, wanderte an Röhren und Leitungen entlang und verlor sich wieder in der Finsternis. Der Mann strebte aus dem Sog hinaus und arbeitete sich seitlich hinab. Er fand fast alle Schotten geschlossen, und er hatte eine Menge zu tun, ehe er sie aufbekam, und als der Lichtkegel kein Ziel mehr fand, wußte er, daß er im vorderen Laderaum war. Er konnte sich aufrichten und nach allen Seiten bewegen, er konnte bis zur Bordwand vordringen, es war Platz genug. Aber nachdem er den Raum ausgeschwommen hatte, drang er zum Boden des Laderaums hinab, und als er das Licht zum ersten Mal nach unten richtete, sah er wimmelnde Aale, die aufgeschreckt aus dem Strahl zu entkommen suchten. Er schaltete das Licht aus und hielt sich an einem Bodenring fest, und er spürte die gleitende, kalte Berührung der Tiere, wenn sie dicht an ihm vorbeischwammen. Dann schaltete er das Licht wieder an und war allein auf dem Boden des Laderaums. Auch der Boden war mit Schlamm bedeckt, aber der Schlamm war hier nicht so zäh wie auf den Lastwagen. Baraby begann den Boden des Laderaums abzusuchen, doch er fand nicht das, was er zu finden gehofft hatte; er fand weder Kisten noch Geräte, es war überhaupt nichts da von einer Ladung, und solange er auch suchte, er fand nichts, das mitzunehmen sich gelohnt hätte. Aber unvermutet zuckte der

Lichtkegel in einen Winkel, und es glänzte weiß auf; der Mann schwamm sofort dorthin und untersuchte die weißen Gegenstände: es waren große Knochen, Rippenknochen, die aus dem Schlamm hervorragten, und Baraby sah, daß sie von Pferden stammten.

Sie werden Pferde geladen haben, dachte er; als das Schiff unterging, hatten sie nichts als Pferde an Bord. Und er betastete die Knochen und versuchte, sie aus dem Schlamm zu ziehen, und nach einer Weile schwamm er zum Niedergang zurück. Er arbeitete sich mit den Händen hoch, und über einen anderen Niedergang gelangte er in den achteren Laderaum; hier entdeckte er das Loch, das die Mine in den Leib des Schiffes gerissen hatte, das Loch war groß wie sein eigenes Boot, und da es zur Strömung stand, war eine große Menge Schlamm in das Schiff eingedrungen, der Laderaum war hoch mit Schlamm gefüllt. Der Mann untersuchte alles, er war unruhig geworden und schwamm verzweifelt den Raum aus, und als er nichts fand, schlug er die Beine um einen Stützbalken und wühlte sich mit den Händen durch den Schlamm bis zum Boden des Laderaums durch.

Aber auch hier fand er wieder nur Knochen, er sah sie plötzlich aufleuchten und wußte, daß das Schiff nur Pferde an Bord gehabt hatte, als es von der Mine getroffen wurde. Er nahm einen einzelnen Knochen und schwamm zurück zum Deck; er sah hinauf zum Licht, zur Silhouette des Bootes. Und er wandte sich ab und zog sich zu den Aufbauten des gesunkenen Schiffes hinauf. Er untersuchte alle Schapps[3] und Kammern, er öffnete jedes Schott, das er fand, aber überall war nur Dunkelheit und Schlamm, und er entdeckte nichts von dem, was er zu finden gehofft hatte.

Und er gab dem Jungen das Signal mit der Leine, und der Junge zog ihn Hand über Hand ans Licht; er spürte nicht einmal den Druck der Leine auf der Brust, als er hinaufgezogen wurde, er glich den Zug nicht mit den Händen aus, er hing ohne Bewegung und wie leblos am Seil, und der Junge holte ihn rauf.

Baraby kletterte ins Boot. Der Junge zog an der Ankerleine und brach den Anker aus dem Grund. Dann setzte er sich auf eine Ducht. Der Mann hatte sich angezogen und sah blaß und müde aus. Sie saßen einander gegenüber, sie saßen reglos unter der sengenden Sonne, und die Strömung erfaßte das Boot und trieb es lautlos gegen die Halbinsel.

Lukas, sanftmütiger Knecht

Im Süden brannte das Gras. Es brannte schnell und fast rauchlos, es brannte gegen die Berge hin, gegen die Kenia-Berge;[1] das Feuer war unterwegs im Elefantengras, es hatte seinen eigenen Wind, und der Wind schmeckte nach Rauch und Asche. Einmal im Jahr warfen sie Feuer in das Gras, das Feuer lief seinen alten Weg gegen die Berge hin, gegen die Kenia-Berge, und vor den Bergen legte es sich hin, und mit dem Feuer legte sich der Wind hin, und dann kamen die Antilopen zurück und die Schakale, aber das Gras war fort. Einmal im Jahr brannte das Gras, und wenn es verbrannt war, wurde gepflügt, es wurde gegraben und gepflügt, die neue Asche kam zu der alten Asche, und in das Land aus Asche und Stein warfen sie ihren Mais, und der Mais wurde groß und hatte gute Kolben.

Ich bog dem Feuer aus und fuhr in weitem Bogen zum Fluß hinunter, zum Bambuswald, ich fuhr langsam zwischen Dornen und Elefantengras um das Feuer herum, und ich spürte den heißen, böigen Wind auf der Haut und schmeckte den Rauch. Ich wollte am Fluß entlangfahren, am Bambuswald, ich konnte das Feuer überholen, ich konnte, wenn ich es überholt hatte, auf die Grasfläche zurückfahren, es war kein großer Umweg: ich hatte nur noch fünfzehn Meilen zu fahren, ich würde noch vor der Dunkelheit zu Hause sein, ich mußte vorher zu Hause sein.

Aber dann traf ich sie, oder sie trafen mich; ich weiß nicht, ob sie auf mich gewartet hatten; sie lagen am Rande des Flusses, am Rande des Bambuswaldes, mehr als zwanzig Männer, sie flossen aus dem Bambus hervor, lautlos und ernst, zwanzig hagere Männer, und sie trugen kleine Narben[2] auf der Stirn und am Körper, rötliche Stigmen des Hasses, und in den Händen trugen sie ihre Panga-Messer, kurze, schwere Hackmesser, mit denen sie unsere Frauen töten und die Kinder, ihre eigenen Leute und das Vieh. Sie umringten das Auto, sie sahen mich an, sie warteten. Einige standen im Elefantengras, einige vor den Dornen, sie kamen nicht näher heran, obwohl sie sahen, daß ich allein war, sie hielten das Panga-Messer dicht am Oberschenkel und schwiegen, zwanzig hagere Kikujus, und sie blickten mich sanft und ruhig an, mit herablassendem Mitleid. Ich schaltete den Motor aus und blieb sitzen; in einem Fach lag der Revolver, ich konnte ihn sehen, aber ich wagte nicht, die Hände vom Steuer zu nehmen, sie beobachteten meine Hände, ruhig und scheinbar gleichgültig wachten sie über meine Bewegungen, und ich ließ den Revolver im Fach liegen und hörte, wie in der Ferne das Feuer durch das Elefantengras lief. Dann hob einer sein Messer, hob es und winkte mir schnell, und ich stieg aus; ich stieg langsam aus und ließ den Revolver liegen, und dann sah ich den, der mir gewinkt hatte, und es war Lukas, mein Knecht. Es war Lukas, ein alter, hagerer Kikuju, er trug eine Leinenhose von mir, sauber, aber von den Dornen zerrissen, Lukas, ein stiller, sanftmütiger Mann, Lukas, seit vierzehn Jahren mein Knecht. Ich ging auf ihn zu, ich sagte »Lukas« zu ihm, aber er schwieg und sah über mich hinweg, sah zu den Kenia-Bergen hinüber, zu dem brennenden Gras, er sah über die Rücken der fliehenden Antilopen, er kannte mich nicht. Ich schaute mich um, sah jedem der Männer ins Gesicht, prüfte, erinnerte mich verzweifelt,[3] ob ich nicht einem von ihnen begegnet wäre, einem, der mir zunicken und bestätigen könnte, daß Lukas vor mir stand, Lukas, mein sanftmütiger Knecht seit vierzehn Jahren; aber alle Gesichter waren fremd und wiesen meine Blicke ab, fremde, ferne Gesichter, glänzend von der Schwüle des Bambus.

Sie öffneten den Kreis, zwei Männer traten zur Seite, und ich ging an ihnen vorbei, ging in die Dornen hinein; die Dornen rissen mein Hemd auf, sie rissen die faltige, gelbliche Haut auf, es waren harte, trockene Dornen, sie griffen nach mir, hakten sich fest, brachen, über der Brust hing das Hemd in Fetzen. Wir haben eine Bezeichnung für Dornen, wir nennen sie »Wart ein bißchen«.[4] Ich hörte, wie sie das Auto umwarfen, sie ließen es liegen und folgten mir, sie zündeten das Auto nicht an; sie ließen es liegen, und das genügte, es genügte in diesem Land des schweren Schlafes und des Verfalls, niemand würde das Auto je wieder auf die Räder setzen, vielleicht würde es jemand in den Fluß stürzen, vielleicht, ich würde es nie mehr benutzen.

Sie folgten mir alle, mehr als zwanzig Männer gingen hinter mir her; wir gingen durch die Dornen, als ob wir ein gemeinsames Ziel hätten, sie und ich.

Lukas ging hinter mir her, ich hörte, wie sein Messer gegen die Dornen fiel, es waren Dornen, die von meinem Körper nach vorn gebogen wurden und dann zurückschnellten. Manchmal blieb ich stehen, um Lukas auflaufen zu lassen, ich hatte es noch nicht aufgegeben, mit ihm zu sprechen, aber er merkte jedesmal meine Absicht und verzögerte seine Schritte, und wenn ich mich umschaute, sah er nach hinten oder über mich hinweg. Ich folgte ihnen bis zum Fluß, ich folgte ihnen, obwohl ich vorausging, und vor dem Fluß blieb ich stehen, vor dem flachen, trägen Fluß, den ich zweimal durchwatet hatte, zweimal bis zur Hüfte im Schlamm, im Krieg einmal, und einmal, als der Missionar verunglückte; es war schon lange her, aber ich hatte das Gefühl nicht vergessen. Ich blieb vor dem Fluß stehen, und sie kamen heran und umstellten mich, mehr als zwanzig Männer mit schweren Panga-Messern, fremde, starre Gesichter, gezeichnet von den kleinen Narben des Hasses. Schwarze Flußenten ruderten hastig ans andere Ufer, ruderten fort und sahen herüber, und ich stand im Kreis, den der Fluß vollendete, stand im Zentrum ihres stummen Hasses. Sie setzten sich auf die Erde, sie hielten das Messer im Schoß, sie schwiegen, und ihr Schweigen war alt wie das Schweigen dieses Landes, ich kannte es, ich hatte es seit sechsundvierzig Jahren ausgehalten: als wir aus England gekommen waren, hatte uns dieses Land mit Schweigen empfangen, es hatte geschwiegen, als wir Häuser bauten und den Boden absteckten, es hatte geschwiegen, als wir säten und als wir ernteten, es hatte zu allem geschwiegen. Wir hätten wissen müssen, daß es einmal sprechen würde.

Eine Schlange schwamm über den Fluß, sie kam aus dem Bambus, sie hielt den Kopf starr aus dem Wasser, es war eine kleine Schlange mit abgeplattetem Kopf, sie verschwand in der Uferböschung, und ich merkte mir die Stelle, wo sie verschwunden war. Ich wandte den Kopf und sah in die Gesichter der Männer, ich wollte herausfinden, ob sie auch die Schlange beobachtet hatten, ich wollte mich anbiedern, denn ich fürchtete mich vor dem Augenblick, da sie zu reden begännen, ich war an ihr Schweigen gewöhnt, darum hatte ich Angst vor ihrer Sprache. Aber sie schwiegen und sahen vor sich hin, sie taten, als sei ich ihr Wächter, als hätten sie sich mir schweigend unterworfen; sie schwiegen, als hinge ihr Leben von meinem ab, und sie ließen mich in ihrer Mitte, bis es dunkel wurde. Ich hatte auch versucht, mich auf die Erde zu setzen, das Hemd klebte an meinem Rücken, die Knie zitterten, die Schwüle, die aus dem Bambus herüberkam, hatte mich schlapp gemacht, aber kaum hatte ich mich gesetzt, da machte Lukas eine kurze, gleichgültige Bewegung mit seinem Messer, er hob die Spitze nur ein wenig hoch, und ich wußte, daß ich zu stehen hätte.[5] Ich war überzeugt, daß sie mich töten würden, und ich sah sie einzeln an, lange und gründlich, auch Lukas, meinen sanftmütigen Knecht seit vierzehn Jahren, ich sah sie an und versuchte, meinen Mörder herauszufinden.

Als es dunkel geworden war, erhoben sich einige Männer und verschwanden, aber sie kamen bald zurück und waren mit trockenem Dornengestrüpp beladen. Sie warfen das Gestrüpp auf einen Haufen und zündeten in der Mitte des Kreises ein kleines Feuer an, und einer von ihnen blieb am Feuer sitzen und bediente es.

Ich erinnerte mich der Zeit, die ich mit Lukas verlebt hatte, er war erst vor zwei Tagen verschwunden; ich dachte an seinen schweigenden Stolz und an seine Neigung, das Leben zu komplizieren. Ich blickte auf die Männer und dachte an ihre rituellen Hinrichtungen, und mir fiel ein, daß sie einst ihre Diebe mit trockenen Blättern umwickelt und angezündet hatten. Ich hatte viel gehört in diesen sechsundvierzig Jahren, von ihrer Phantasie, von Opferzeremonien und ihrer arglosen Grausamkeit: ein Kikuju hat mehr Phantasie als alle Weißen in Kenia, aber seine Phantasie ist grausam. Wir haben versucht, sie von ihrer natürlichen Grausamkeit abzubringen, aber dadurch haben wir sie ärmer gemacht. Wir haben versucht, ihre geheimen Stammeseide, Orgien und Beschwörungsformeln zu entwerten, dadurch ist ihr Leben langweilig und leer geworden. Sie wollen nicht nur das Land zurückhaben, sie wollen ihre Magie zurückhaben, ihre Kulte, ihre natürliche Grausamkeit. Ich brauchte nur in ihre Gesichter zu sehen, um das zu verstehen; in ihren Gesichtern lag der Durst nach ihrem Land und das Heimweh nach ihrer alten Seele, in allen Gesichtern, über die der schwarze Schein des Feuers lief. Ich überlegte, ob ich fliehen sollte, ich hatte an dieser Stelle des Flusses keine Krokodile gesehen; vielleicht hatten sie aber auch nur im Ufergras gelegen, auf der anderen Seite, im Bambus, und vielleicht waren sie mit der Dunkelheit ins Wasser geglitten. Ich könnte unter Wasser schwimmen, ich war ein guter Schwimmer, trotz meines Alters, und so schnell entschließen sich die Krokodile nicht zum Angriff, vielleicht könnte ich es schaffen.

Aber die Männer, die einen Kreis um mich geschlagen hatten, würden nicht zusehen, würden nicht mehr schweigend am Boden hocken und zusehen, wie ich floh. Ich prüfte erschrocken ihre Gesichter, ich fürchtete, daß sie meine Gedanken erraten hatten, aber ihre Gesichter waren fremd und reglos, auch das von Lukas, meinem sanftmütigen Knecht. Vielleicht hofften sie, daß ich floh, vielleicht warteten sie nur darauf, daß ich mich in den Fluß warf – ihre Gesichter schienen darauf zu warten.

Lukas stand auf und ging ans Feuer; er hockte sich hin, er sah in die Glut, seine Arme ruhten auf den Knien, ein alter, hagerer Kikuju, versunken in Erinnerung. Ich hätte mich auf ihn stürzen können, er hockte dicht vor meinen Füßen, versunken und unbekümmert. Ich hätte nichts erreicht, wenn ich mich auf ihn geworfen hätte, sein Messer lag vor ihm, mit der Spitze im Feuer, wenige Zentimeter unter den großen, hageren Händen. Es sah aus, als ob Lukas träumte. Dann kamen aus den Dornen zwei Männer, die ich noch nicht gesehen hatte, sie wurden in den Kreis gelassen, zwei barfüßige Männer in Baumwollhemden, sie schienen in der Stadt gelebt zu haben, in Nairobi oder Nyeri. Sie hockten sich hinter Lukas auf die Erde, und alle Augen waren auf sie gerichtet; sie hatten eingerollte Bananenblätter mitgebracht, jeder zwei große Blätter, und sie schoben die Blätter nahe an Lukas heran und warteten. Es waren kräftige, gutgenährte Männer, sie hatten Fleisch auf den

Rippen, sie sahen nicht aus wie Lukas und seinesgleichen, die
hager waren, schmalbrüstig, mit dünnen, baumelnden Armen;
sie hatten auch andere Gesichter, sie hatten nicht den fremden,
gleichgültigen Blick, den Blick unaufhebbarer Ferne, ihre
Gesichter waren gutmütig, der Blick war schnell und prüfend,
er verriet, daß sie in der Stadt gelebt hatten. Während sie in den
Kreis traten, hatte ich das gesehen. Ich hatte auch gesehen, wie
sie sich änderten, als sie Lukas vor dem Feuer erblickten: ihre
Gesichter verwandelten sich, sie schienen an ein fernes Leid
erinnert zu werden, und die Ferne machte sie fremd und ab-
wesend.

Lukas nahm das Messer aus dem Feuer, er konnte nicht
gesehen haben, daß die beiden Männer gekommen waren, aber
er mußte gewußt haben, daß sie hinter ihm hockten, er drehte
sich auf den Fußballen zu ihnen um, ich hörte bei der Drehung
das Gras unter seinen Füßen knirschen, es war der einzige Laut,
den er bisher verursacht hatte. Lukas nickte einem der Männer
zu, und der Mann, dem das Nicken gegolten hatte, zog sein
Baumwollhemd aus und warf es hinter sich, und dann ging er
nahe an Lukas heran und hockte sich vor ihm hin, schnell, fast
lüstern. Und Lukas hob das Messer und drückte es in sein
Schulterblatt, es zischte, als das heiße Eisen das Fleisch berührte,
und der Oberkörper des Mannes bäumte sich einmal auf, der
Kopf flog nach hinten. Ich sah die zusammengepreßten Zähne,
das verzerrte Gesicht; die Augen waren geschlossen, die Lippen
herabgezogen. Er stöhnte nicht, und Lukas, sanftmütiger
Knecht seit vierzehn Jahren, setzte das Messer an eine andere
Stelle, siebenmal, er setzte das Messer gegen die Schulter, gegen
die Brust und gegen die Stirn. Als er den zweiten Schnitt empfing, zitterte der Mann, dann hatte er den Schmerz überwunden.
Nach der zweiten Wunde sah er dem Messer ruhig entgegen, er
bog dem Messer die Schulter heran, er dehnte ihm seine Brust
entgegen, es konnte ihm nicht schnell genug gehen, die kleinen
Schnitte zu empfangen, unwiderrufliche Zeichen der Ver-
schwörung, Stigmen des Hasses. Dann hatte er die Male erhalten, und Lukas wies ihn zurück, er kroch auf seinen Platz
und hockte sich hin, und Lukas legte das Messer ins Feuer und
nickte nach einer Weile dem zweiten Mann zu; der zweite Mann

zog sein Baumwollhemd aus, das Messer senkte sich in seine Schulter, es zischte, es roch nach verbranntem Fleisch, und auch er wurde nach dem zweiten Mal stumpf und ruhig, auch er empfing sieben Schnitte und kroch zurück. Ich hörte fernen Donner und sah zum Horizont, sah auf, als ob im Donner Rettung für mich läge, der Donner wiederholte sich nicht, ich sah nur das Feuer im Gras, das gegen die Berge lief. Der Mond kam hervor, sein Bild zerlief auf dem trägen Wasser des Flusses, der Fluß gluckste am anderen Ufer, es drang bis zu uns herüber. Im Bambus war es still.

Ich sah, wie Lukas die Bananenblätter zu sich heranzog, er rollte sie vorsichtig auseinander, und ich bemerkte in einem eine Blechdose. Er stellte die Blechdose ans Feuer, sie war gefüllt, sie enthielt eine Flüssigkeit, dunkel und sämig, Lukas goß etwas von der Flüssigkeit ab und griff in das andere Blatt, ich erkannte, daß es Eingeweide waren, Eingeweide eines Tieres, eines Schafes vielleicht, er nahm sie in die Hand und zerkleinerte sie und warf einzelne Stücke in die Blechdose, und dann schüttete er Körner und Mehl in die Blechdose und begann leise zu singen. Während Lukas sang – ich hatte ihn nie singen hören in vierzehn Jahren –, rührte er einen Teig an, ich beobachtete, wie er den Teig klopfte und knetete, er bearbeitete ihn unter leisem Gesang, einen griesigen Teig, den Lukas schließlich in beide Hände nahm und zu einer großen Kugel formte. Dann kniff er aus der Kugel ein kleines Stück heraus, begann es zwischen den Handflächen zu rollen, er rollte eine kleine Kugel daraus; der Teig war feucht, und ich hörte, wie er zwischen seinen Händen quatschte. Lukas rollte vierzehn kleine Kugeln, zweimal sieben feuchte Teigbälle, er legte sie in zwei Reihen vor sich hin, eine neben die andere, und als er fertig war, nickte Lukas einem der Männer zu, die vor ihm hockten, und der Gerufene kam zu ihm, kniete sich hin, schloß die Augen und schob seinen Kopf weit nach vorn. Der Gerufene öffnete den Mund, und Lukas nahm eine der feuchten Teigkugeln und schob sie ihm zwischen die Zähne; das Gesicht des Gefütterten glänzte, er schluckte, ich sah, wie die Kugel den Hals hinabfuhr, er schluckte mehrmals, sein Kopf bewegte sich vor und zurück, vor und zurück, dann hielt er still, die Lippen sprangen auf, schoben sich in sanfter Gier dem nächsten Teigbatzen entgegen, und Lukas schob ihm die neue Kugel in den Mund. Lukas, Zauberer und sanftmütiger Knecht, fütterte ihn mit dem Teig des Hasses, fütterte ihn siebenmal und wies ihn zurück, als er die Zahl erfüllt hatte, und nach einer Weile nickte Lukas dem zweiten Mann zu, und der zweite Mann kam und öffnete den Mund, würgte die Kugeln hinunter, würgte mit den Kugeln einen Schwur hinunter, und sein Gesicht glänzte. Auch er aß siebenmal den Teig des Hasses und wurde zurückgeschickt, er ging aufrecht zurück, nahm sein Baumwollhemd, streifte es über und fügte sich in den Kreis ein, den sie um mich geschlagen hatten. Ich erinnere mich, daß Sieben ihre Zahl ist, heilige Zahl der Kikujus, ich hatte es oft gehört in sechsundvierzig Jahren, jetzt hatte ich es gesehen – warum hatten sie es mich sehen lassen, warum duldeten sie, daß ich dabeistand, meine Zahl war eine andere, ich war der, dem die Wunden galten, die frischen Male auf den Körpern der Männer, ich war das Ziel ihres Hasses, warum töteten sie mich nicht? Warum zögerten sie, warum zögerte Lukas, das schwere Panga-Messer gegen mich zu heben, warum ließen sie mich nicht den Tod sterben, den sie so viele hatten sterben lassen: hatten sie einen besonderen Tod für mich, hatte Lukas, der Sanftmütige, sich einen besonderen Tod für mich ausgedacht in den vierzehn Jahren, da er mein Knecht war?

Wir hatten wenig gesprochen in diesen vierzehn Jahren, Lukas hatte allezeit schweigend und gut gearbeitet, ich hatte ihn sogar eingeladen, mit uns zu essen; manchmal, wenn ich ihn aus der Ferne beobachtet hatte bei der Arbeit, ging ich zu ihm und lud ihn ein, aber er kam nie, er fand immer einfache Entschuldigungen, mit höflicher Trauer lehnte er meine Angebote ab, niemand hat besser für mich gearbeitet als Lukas, mein wunderbarer Knecht. Welchen Tod hatte er sich für mich ausgedacht?

Lukas erhob sich und ging an mir vorbei zum Fluß, er ging langsam am Ufer auf und ab, beobachtete, lauschte, er legte sich flach auf den Boden und sah über das Wasser, er nahm einen Stein, warf ihn in die Mitte des trägen Flusses und beobachtete die Stelle des Einschlags und wartete. Dann kam er zurück, und jetzt kam er zu mir. Er blieb vor mir stehen, aber sein Blick ging an mir vorbei, erreichte mich nicht, obwohl er auf mich gerichtet war; er stand vor mir, das Messer in der Hand, und begann zu sprechen. Ich erkannte sofort seine Stimme wieder, seine leise, milde Stimme, er forderte mich auf, zu gehen, er sprach zu mir, als ob er mich um etwas bäte; ich solle gehen, bat er, nun sei es Zeit. Er wies mit der Hand über den Fluß und über den Bambus in die Richtung, in der meine Farm[6] lag, dorthin solle ich gehen, bat er, wo Fanny wohne, das war meine Frau, und Sheila, das war meine Tochter. Lukas bat mich, zu ihnen zu gehen, sie würden mich brauchen, sagte er, morgen, bei Sonnenuntergang, würden sie mich nötig haben, ich solle nicht mehr warten. Ich solle Fanny und Sheila vorbereiten, denn morgen, sagte er, würde die Farm brennen, das große Feuer würde kommen, und ich dürfte dann nicht weit sein. Er wollte sich umwenden, er hatte genug gesagt, aber ich ließ ihn noch nicht gehen, ich zeigte mit ausgestreckter Hand auf den schwarzen Fluß, und er las aus diesem Zeichen meine Frage und gab mir zu verstehen, daß keine Krokodile in der Nähe seien, er habe das Wasser beobachtet, ich könne nun gehen, der Weg sei frei.

Ich blickte den Kreis der Gesichter entlang, fremde, steinerne Gesichter, über die der schwache Schein des Feuers lief. Lukas ging zurück und fügte sich ebenfalls dem Kreis ein, er hockte sich hin, und ich stand allein in der Mitte und schaute zum Bambuswald hinüber, spürte die Schwüle, die heranwehte, spürte Verfall und Geheimnis, und ich setzte einen Fuß in das Wasser und ging. Ich ging langsam zur Mitte des Flusses, meine Füße sanken in den weichen Schlamm ein, das Wasser staute sich an meinem Körper, an der Hüfte, an der Brust, schwarzes, lauwarmes Wasser; es führte totes Bambusrohr heran und Äste, und wenn mich ein Ast berührte, erschrak ich und blieb stehen. Ich sah nicht ein einziges Mal zurück. Ich überlegte, warum sie mich hatten gehen lassen, es mußte etwas auf sich haben, daß sie mich nicht getötet hatten.

Welch ein Urteil verbarg sich dahinter, daß sie mich nach Hause schickten? Ich wußte es nicht, ich kam nicht darauf, obwohl ich viele ihrer Listen kannte, ihre sanfte, grausame

Schlauheit – warum hatten sie mich gehen lassen? Mein Fuß berührte einen harten Gegenstand, der auf dem Grund lag, ich zuckte zurück, ich hätte geschrien, wenn sie nicht am Ufer gewesen wären, ich warf mich sofort auf das Wasser, schwimmend kam ich schneller vorwärts als watend, und ich schwamm mit verzweifelten Stößen zur Mitte. Es mußte ein versunkener Baumstamm gewesen sein, den ich berührt hatte, das Wasser blieb ruhig, keine Bewegung entstand im Fluß, ich watete langsam weiter, mit beiden Händen rudernd – lange, tastende Schritte durch den weichen Schlamm: zum drittenmal durchquerte ich den Fluß.

Welch eine List lag in meinem Freispruch, warum hatten sie mich gehen lassen, warum hatte Lukas mich nach Hause geschickt? Lukas hatte mir den kürzesten Weg gezeigt, und der Weg führte durch den Fluß und durch den Bambuswald. Ich wußte, daß hinter dem Bambuswald die Grasfläche begann, Grasfläche der Mühsal, ich erinnerte mich, daß ich dann an Maisfeldern vorbeizugehen hätte und an einer Farm, ich würde es schaffen, dachte ich, ich würde die fünfzehn Meilen bis zum nächsten Abend hinter mich bringen, vielleicht würde mich McCormick das letzte Stück in seinem Wagen mitnehmen, ihm gehörte die Farm.

Der Bambus stand dicht, ich konnte kaum vorwärtskommen, ich mußte mich zwischen den einzelnen Rohren hindurchzwängen, es war hoffnungslos. Auch der Boden war gefährlich, Laub und Astwerk bedeckten ihn bis zu den Bambusstauden, ich konnte nicht erkennen, wohin ich trat. Immer wieder sackte ich ein, sackte bis zur Hüfte ein und stürzte vornüber, es ging nicht. Ich blieb stehen und sah zurück; die Männer waren verschwunden, das Feuer brannte nicht mehr, ich war allein. Ich war allein in der Schwüle des Bambus. Ich fühlte die nasse Kleidung auf der Haut, meine Knie zitterten. Ich fühlte mich beobachtet, von allen Seiten fühlte ich Augen auf mich gerichtet, gleichgültige, abwartende, bewegungslose Blicke. Ich hatte keine Waffen bei mir, ich durfte nicht weiter.

Es war still, nur zuweilen wurde die Stille unterbrochen, ein Vogel rief in die Finsternis, ein Tier klagte über den gestörten Schlaf; ich durfte nicht weiter, ich wußte, daß ich nachts, nachts

und ohne Waffen, nicht durch den Bambuswald kommen
würde, der Leopard würde es verhindern, der Leopard oder ein
anderer, ich mußte zum Fluß zurück und entweder auf den
nächsten Morgen warten oder mich dicht am Wasser bewegen.
Ohne Waffen und ohne Feuer war die Nacht gefährlich, ich
spürte es, die Nacht war ein wenig zu still, ein wenig zu sanft,
das war nicht gut, und ich kämpfte mich durch Bambusstauden
und Schlingpflanzen wieder zum Fluß zurück. Ich wollte die
Nacht ausnutzen und den Fluß hinaufgehen, dabei konnte ich
bestenfalls zwei Meilen gewinnen, zwei mühselige Meilen bis
zum Morgen, aber ich beschloß, diesen Weg zu nehmen. Ich
wollte zu Hause sein, bevor Lukas das große Feuer zur Farm
trug, ich mußte das Mädchen warnen und Fanny, meine
Frau.

Ich ging abermals in den Fluß, das Wasser reichte mir bis zu
den Waden, dann watete ich, jedes Geräusch vermeidend, flußaufwärts; ich kam wider Erwarten gut voran. Der Mond lag
auf dem Wasser, wenn der Mond nicht gewesen wäre, wäre ich
nicht gegangen. Der Schlamm wurde fester; je weiter ich den
Fluß hinaufging, desto härter und sicherer wurde der Grund,
ich stieß gegen kleine Steine, die im Wasser lagen, die Büsche
hingen nicht mehr so weit über den Fluß, alles schien gut zu
gehen. Manchmal sah ich ein Augenpaar zwischen den Büschen,
grün und starr, und unwillkürlich strebte ich der Mitte des
Flusses zu, ich hatte Angst, aber ich mußte diese Angst unter-
drücken, wenn ich die Farm zeitig erreichen wollte. Manchmal
folgten mir auch die Augen am Ufer, kalt und ruhig begleiteten
sie mich flußaufwärts, ich erkannte keinen Kopf, keinen Körper, aber die Augen schienen über dem Bambus zu schweben,
schwebten durch Bambus und Schlinggewächs, und ich wußte,
daß diese Nacht auf der Lauer lag, daß sie den Fremden ver-
folgte und daß sie ihm seinen Argwohn nehmen wollte durch
ihr Schweigen, durch ihren Duft. Ich sah leuchtende Blumen
am Ufer, ihre Schönheit brannte sich zu Tode, ich sah sie
mitunter mannshoch in der Dunkelheit brennen, auf einem
Baum oder mitten in einem Strauch, flammende Todesblumen,
unter denen der Leopard wartete.

Welche List lag in meinem Freispruch, warum hatten sie

mich gehen lassen, mich, dessentwegen sie sich die Zeichen des Zorns eingebrannt hatten? Waren sie ihrer Sache so sicher?

Ich kam gut voran, ich konnte, wenn es so weiterging, sogar drei Meilen schaffen in dieser Nacht, ich würde früher bei Fanny und dem Mädchen sein, als sie gedacht hatten. Ich dachte an Fanny, sah sie auf der Holzveranda sitzen und in die Dunkelheit horchen, den alten Armeerevolver auf der Brüstung; zu dieser Zeit hätte ich schon lange bei ihnen sein müssen, vielleicht hatte sie über die Entfernung gespürt, daß mir etwas zugestoßen war. Sie hatte einen guten Instinkt, ihr Instinkt hatte sich geschärft, je mehr wir beide zu Einzelgängern geworden waren; dieses Land des Schlafes und des Verfalls hatte uns gezeigt, daß der Mensch von Natur aus ein Einzelgänger ist, ein verlorener, einsamer Jäger auf der Fährte zu sich selbst, und wir sind bald unsere eigenen Wege gegangen, bald, nachdem wir Sheila hatten. Wir glaubten manchmal beide, daß wir ohne den anderen auskommen könnten, wir arbeiteten schweigend und allein, jeder an seinem Teil, wir gingen uns aus dem Weg, sobald das Leben uns einem gemeinsamen Punkt zuführen wollte. Fanny und ich, wir gingen zwar in eine Richtung, unser Ziel und unser Leid war dasselbe, aber wir gingen in weitem Abstand auf dieses Ziel zu. Wir hatten uns alles gesagt, wir hatten uns ohne Rest einander anvertraut, und so kam die Zeit, da wir uns schweigend verstanden, da wir oft ganze Tage nicht miteinander sprachen und die Dinge trotzdem einen guten Verlauf nahmen. Ich hatte sie oft heimlich beobachtet, wenn sie durch den Mais ging oder die Schlucht hinunterkletterte zum Fluß, ich hatte sie beobachtet und bemerkt, daß ihre Bewegungen anders geworden waren, anders als in der ersten Zeit. Sie bewegte sich weicher und tierhafter, ihre Bewegungen flossen ganz aus, sie fühlte sich sicher.

Der Fluß wurde flacher, einige Steine ragten über die Oberfläche hinaus, und ich sprang, wenn es möglich war, von Stein zu Stein und brauchte kaum noch ins Wasser. Das Wasser war kälter geworden, die Luft war kälter geworden, ich begann zu frieren. Ich blieb auf einem Stein stehen und massierte meinen Leib und die Beine, das Hemd war über der Brust zerrissen, die Fetzen hingen mir, wenn ich mich bückte, ins Gesicht, sie rochen süßlich und dumpf. Ich bedeckte mit den Fetzen sorgsam meine Haut, ich versuchte, das Hemd in die Länge zu ziehen und unter den Gürtel zu schieben, denn ich begann immer stärker zu frieren, und ich sehnte mich zurück nach dem warmen Schlamm, nach der Flußstelle, wo sie mich aus ihrem Kreis entlassen hatten. Ich trank etwas von dem bitteren Wasser und wollte weitergehen, da sah ich ihn: er stand dicht am Ufer, an einer kleinen Bucht des Flusses, nur wenige Meter von mir entfernt. Um ihn herum waren die Bambussträucher niedergetreten, so daß ich ihn in seiner vollen Größe sehen konnte, er hatte mich offenbar auch gerade entdeckt. Er hatte den Rüssel eingerollt und stand regungslos vor mir, ich sah den matten Glanz seiner Stoßzähne, die kleinen blanken Augen und seine langsam fächelnden Ohren, es war ein großer Elefant. Er stand und blickte zu mir herüber, und ich war so betroffen von seinem Anblick, daß ich an keine Flucht dachte, ich rührte mich nicht und betrachtete das große, einsame Tier, und ich empfand plötzlich die wunderbare Nähe der Wildnis. Nach einer Weile wandte er den Kopf, entrollte den Rüssel und trank, ich hörte ein saugendes Geräusch, hörte, wie der Rüssel ein paar kleine Steine zur Seite schob, sie klirrten gegeneinander, und dann drehte er sich unerwartet um und verschwand im Bambus. Ich hörte ihn durch das Holz brechen, und plötzlich, als ob er stehengeblieben wäre, war es wieder still.

Langsam setzte ich meinen Weg fort, ich hatte ein Bambusrohr im Wasser gefunden und benutzte es als Stütze, wenn ich von Stein zu Stein sprang, das Rohr war mit einem einzigen schrägen Hieb durchschlagen worden, es besaß eine Spitze, ich konnte es notfalls als Waffe verwenden.

Ich dachte an Lukas, meinen sanftmütigen Knecht seit vierzehn Jahren, ich stellte mir vor, daß er jetzt an einem anderen Feuer saß, daß andere Männer vor ihm hockten und den Teig des Hasses hinunterwürgten, den er, zu Kugeln gerollt, in ihren Mund schob; ich glaubte zu sehen, wie ihre Schultern sich verlangend seinem schweren Panga-Messer entgegenreckten, wie ihre Gesichter glänzten vor Schwüle und Begierde, die Male zu empfangen. Ich stellte mir vor, daß Lukas durch das ganze Land ging, und ich sah, daß überall, wo sein Fuß das Gras niedertrat, Feuer aufsprang, das Feuer folgte ihm unaufhörlich, änderte mit ihm die Richtung, legte sich hin, wenn er es befahl – Lukas, Herr über das Feuer. Ich dachte an den Tag, als ich ihn zum ersten Male sah: er war, wie die anderen seines Stammes, nach Norden geflohen,[7] die Rinderpest hatte ihre Herden fast völlig vernichtet, und sie hatten mit ihrem letzten Vieh im Norden Schutz gesucht. Und während sie im Norden waren, kamen wir und nahmen ihr Land, wir wußten nicht, wann sie zurückkehren würden, ob sie überhaupt jemals zurückkehren würden, wir nahmen uns das brachliegende Land und begannen zu säen.

Aber nachdem wir gesät und auch schon geerntet hatten, kamen sie aus dem Norden zurück, ich sah ihren schweigenden Zug das lange Tal heraufkommen, vorn ihre Frauen, dann das Vieh, und hinter dem Vieh die Männer. Wir sagten ihnen, daß sie das Land durch ihre Abwesenheit verloren hätten, und sie schwiegen; wir boten ihnen Geld, sie nahmen das Geld, verbargen es gleichmütig in ihrer Kleidung und schwiegen, sie schwiegen, weil sie sich als Besitzer dieses Landes fühlten, denn für einen Kikuju wird der Verkauf eines Landes erst dann rechtmäßig, wenn er unter religiösen Weihen vollzogen worden ist. Es hatte keine Bedeutung, daß wir ihnen Geld gaben, wir hatten den Boden ohne religiöse Weihen abgesteckt, darum konnte er uns niemals gehören. Ich erinnerte mich, wie mit einem dieser Züge auch Lukas das lange Tal heraufkam, er ging am Ende des Zuges, er fiel mir gleich auf. Sein altes, sanftes Gesicht fiel mir auf, ein Gesicht, das nie eine Jugend gehabt zu haben schien, und dieses Gesicht blieb ruhig, als ich sagte, daß ich dieses Land nicht mehr aufgeben würde. Es war Lukas' Land, das ich mir genommen hatte.

Er schwieg, als er das erfuhr, und als sich der Zug in Bewegung setzte, weiterging auf seiner stummen Suche nach dem verlorenen Land, da ging auch Lukas mit, und ich sah ihn sanftmütig über die Grasebene schreiten und brachte es nicht übers Herz, ihn gehen zu lassen. Ich rief Lukas zurück und fragte ihn, ob er bei mir bleiben wolle, ich fragte ihn, ob er bereit sei, mit mir zusammen das Land zu bearbeiten, und er nickte schweigend und ging auf so natürliche Weise seiner

Arbeit nach, daß es den Anschein hatte, er habe sie nur kurz-
fristig liegenlassen und sei nun zurückgekommen, um sie zu
vollenden.

Er arbeitete wortlos und geduldig, ich hatte ihm nie viel zu
sagen. Ich versuchte, ihm mancherlei beizubringen, ich gab mir
Mühe, ihm die Arbeit zu erleichtern, er hörte höflich zu,
wartete, bis ich ihn entließ, und hatte wenig später meinen Rat
vergessen. Welch eine List lag in meinem Freispruch, was hatte
sich Lukas, der wunderbare, sanftmütige Knecht, in den vierzehn Jahren überlegt?

Ich ging bis zum Morgen flußaufwärts, die Nächte sind lang
in diesem Land, und ich hatte wohl vier Meilen gewonnen,
mehr, als ich gehofft hatte. Ich prüfte den Himmel, den
länglichen Ausschnitt des Himmels über dem Fluß, es sah aus,
als ob es ein Gewitter geben würde. Der Himmel war mit einer
einzigen grauen Wolke bedeckt, sie stand über mir und dem
Fluß, ihre Ränder waren dunkel; mitten durch das Grau lief
eine zinnoberrote Spur, eine Feuerspur, und ich dachte, daß das
die Spur von Lukas sein könnte. Ich überlegte, ob es Zweck
hätte, unter solchen Umständen den Bambuswald zu durchqueren, aber ich dachte an Fanny, an das Mädchen und an die
Frist, und ich beschloß, unter allen Umständen durch den
Bambus zu gehen. Ich spürte zum ersten Male Hunger, ich trank
von dem bitteren Wasser des Flusses und schwang mich mit
Hilfe der Bambusstange ans Ufer. Als ich das Ufer betrat,
merkte ich, wie erschöpft ich war, der Weg über die Steine
hatte meine ganze Kraft verlangt, hatte meine Aufmerksamkeit
und meine Geschicklichkeit bis zuletzt so sehr beansprucht,
daß ich keine Gelegenheit gefunden hatte, den Grad meiner
Erschöpfung zu bemerken. Nun, da ich die Möglichkeit hatte,
mich zu entspannen, merkte ich es; ich fühlte, wie unsicher ich
auf den Beinen war, ich sah, wie meine Hände zitterten, und ich
spürte den Schleier vor meinen Augen, ein untrügliches Zeichen
meiner Erschöpfung. Ich durfte nicht stehenbleiben, ich mußte
weiter, mußte mich gleichsam im Sog der einmal begonnenen
Anstrengung bis zur Farm tragen lassen; ich kannte mich zur
Genüge, ich wußte, daß ich es schaffen würde.

Ich stieg, weit nach vorn gebückt, eine Anhöhe hinauf, ich

griff nach jedem Schritt in die Bambusstauden und Wurzeln und zog mich an ihnen vorwärts, ich mußte mich vorsichtig voranziehen, denn manchmal griff ich in die Wurzeln eines toten Baumes, der gestorben und stehengeblieben war, weil es keinen Platz gab, wohin er hätte stürzen können, und wenn ich mich an dem aufrechten, toten Stamm hochziehen wollte, gab er nach, die Wurzeln rissen, und der Bambusstamm stürzte mir entgegen. Mitunter traf er im Sturz andere Stämme, und ich hörte, wie die Wurzeln rissen, und warf mich zur Erde und bedeckte den Kopf mit den Händen. Von Zeit zu Zeit sank ich bis zu den Knien in den weichen Boden ein, aber es geschah nicht so oft wie in der Nacht, als ich den Bambuswald das erste Mal zu durchqueren versucht hatte; jetzt konnte ich die tieferen Löcher im Boden erkennen, konnte ihnen ausweichen.

Die Kälte, unter der ich am Morgen gelitten hatte, machte mir nicht mehr zu schaffen, die Anstrengung brachte mich in Schweiß, das Hemd klebte auf meinem Rücken, und wenn ich mit dem Gesicht am Boden lag, prallte mein Atem vom Laub zurück und traf mein heißes Gesicht. Ich spürte den Schweiß über die Wange laufen und spürte ihn, dünn und säuerlich, wenn ich mit der Zunge über die Lippen fuhr. Ich beschloß, mich im Mais eine Weile auszuruhen, ich wollte mich weder hinlegen noch hinsetzen, das Risiko wäre zu groß gewesen, ich wollte, damit die Erschöpfung mich nicht besiegte, stehend ausruhen, ich wollte einen Augenblick stehen und einen Kolben abbrechen, ich war schon nahe daran, ich hatte schon den süßlich-mehligen Geschmack der Körner auf der Zunge – es war gut, daran zu denken.

Ich zog mich an eine schwarze Zeder heran, ich griff in ein Büschel von Schlinggewächsen, sie fühlten sich glatt und lederhäutig an wie Schlangen, ich griff in sie hinein und zog mich an den Baum heran, und als ich auf einer Wurzel stand, sah ich eine Lichtung. Ich sah sie durch den Schleier meiner Erschöpfung, und als ich näher heranging, erkannte ich auf der Lichtung eine Anzahl großer, schwerer Vögel, die um einen Gegenstand versammelt waren. Sie hüpften lautlos umher, träge und mit schlappem Flügelschlag umkreisten sie den Gegenstand, einige saßen auf ihm und drängten die neu Hinzugekommenen ab, es waren schwarze Vögel. Sie ließen sich durch mich nicht vertreiben, ich konnte so nah herangehen, daß ich sie mit meiner Bambusstange erreicht hätte, ich versuchte es auch, aber sie hüpften nur schwerfällig zur Seite und blieben. Der Gegenstand, um den sie sich drängten, war ein Baumstumpf, sie wollten offenbar nur darauf sitzen, und da sie zu viele waren, entstand dieser lautlose Kampf.

Ich trat an den Baumstumpf heran, lehnte mich gegen ihn und erlag schließlich der Versuchung, mich zu setzen. Ich setzte mich in die Mitte und vertrieb mit meiner Bambusstange die Vögel, ich konnte sie nicht endgültig vertreiben: sie sprangen auf die Erde, träge und widerwillig, sie hüpften schwerfällig um meine Beine herum und sahen mit schräggelegtem Kopf zu mir auf. Und nach einer Weile versuchte der erste Vogel, auf den Baumstumpf zu fliegen, ich duckte mich, weil ich glaubte, er flöge mich an, aber als ich sah, daß er nur neben mir sitzen wollte, ließ ich ihn sitzen und kümmerte mich nicht um ihn. Ich lehnte mich weit zurück und beobachtete den Himmel, und ich sah, daß die Wolke mit der zinnoberroten Spur weiter im Westen stand: es würde kein Gewitter geben, ich war zuversichtlich für meinen Weg. Langsam stand ich auf und ging zwischen den großen Vögeln über die Lichtung, sie bewegten sich nicht, sie hockten am Boden und sahen mir nach.

Ich dachte an Lukas' Augen, an seinen Blick voll sanfter Trauer, ich dachte daran, während ich mit dem Bambus kämpfte, und ich begann, Lukas zu begreifen, Lukas und all die andern, die die Stigmen des Hasses trugen. Ich glaubte zu verstehen, warum sie sich danach drängten, die Male zu empfangen. Wir haben ihnen zuviel genommen, wir haben ihnen aber auch zuviel gebracht.

Welch eine List hatte Lukas ersonnen, warum hatte er mich gehen lassen, der auch daran schuld war, daß ihm alles genommen wurde? Ich mußte vor Sonnenuntergang auf der Farm sein, ich dachte an Fanny und an das Mädchen, ich sah sie immer noch auf der Holzveranda sitzen, den alten Armeerevolver in der Nähe, ich wußte, daß sie in dieser Nacht nicht geschlafen hatten.

Als ich den Bambuswald hinter mir hatte, war ich so erschöpft, daß ich nicht weitergehen zu können glaubte, mein Körper verlangte nach Ruhe, es zog mich zur Erde. Ich blieb mitten im Elefantengras stehen und schloß die Augen, ich wäre eingeknickt und niedergesunken, wenn ich mich nicht auf den Bambusstock gestützt hätte, ich war so entkräftet, daß mich eine tiefe Gleichgültigkeit erfaßte; Fannys Schicksal war mir gleichgültig, und ich beschwichtigte mich selbst, indem ich mir sagte, daß sie gut schießen und das Haus nicht schlechter verteidigen könnte als ich selbst. Und ich hätte mich hingelegt, wenn nicht der Hunger gewesen wäre; der Hunger zwang mich, die Augen zu öffnen, und ich hob den Bambusstab, stieß ihn in den Boden und ging. Ich ging durch das hüfthohe Elefantengras, meine Lippen brannten, in den Fingern summte das Blut. Ich blickte nicht ein einziges Mal über die große Ebene, mein Blick scheute sich vor dem Horizont, ich hatte nicht die Kraft, die Augen zu heben.

Gegen Mittag stand ich vor dem Maisfeld. Ich warf den Bambusstab fort, nun hatte er ausgedient, ich warf ihn in weitem Bogen in das Gras und riß mehrere Maiskolben ab. Ich setzte mich auf die Erde. Ich legte die Kolben in meinen Schoß. Ich riß von einem Kolben die gelbweißen, trockenen Hüllen ab und biß hinein. Ich ließ mir keine Zeit, die Körner mit dem Daumen herauszubrechen. Ich fuhr mit den Zähnen den Kolben entlang. Die Körner schmeckten nach süßem Mehl.

Nachdem ich gegessen hatte, kroch ich zwischen die Maisstauden, ich spürte Kühle und Schatten, spürte eine seltsame Geborgenheit; hier, im Mais, glaubte ich mich sicher. Ich kroch durch das ganze Feld, ich bildete mir ein, während ich kroch, neue Kräfte zu sammeln, ich fühlte mich auch zu Kräften kommen, und ich hob die Augen und sah nach vorn. Und ich sah durch die Maisstauden die Farm, sie lag auf einem Hügel, das große Wohnhaus mit der Veranda und die Wellblechschuppen, die im rechten Winkel zu ihm standen. Die Farm lag verlassen da; McCormick hatte vier Hunde, einen hatte ich immer gesehen, wenn ich vorbeigekommen war, einer hatte immer vor der Veranda im Staub gelegen, jetzt konnte ich keinen entdecken. Ich wollte das Maisfeld verlassen und hinübergehen, ich hatte mich schon aufgerichtet, da kamen sie aus

der Farm. Es waren sechs Männer, hagere Kikujus mit Panga-
Messern, sie gingen die Verandatreppe hinab, langsam, mit
ruhigen Schritten, sie schienen keine Eile zu haben. Einen
Augenblick verschwanden sie hinter den Wellblechschuppen,
dann sah ich sie wieder, sechs hagere Männer, sie schritten über
den Hof und an einer Baumgruppe vorbei, sie schritten aufrecht über die Grasfläche, in die Richtung, aus der ich gekommen war, ihr Weg führte sie zum Bambuswald, zum Fluß. Ich
konnte nicht erkennen, ob Lukas bei ihnen war, sie waren zu
weit entfernt, ich konnte nur fühlen, ob er bei ihnen war – mein
Gefühl bestätigte es. Ich blickte ihnen nach, bis sie hinter der
Grasfläche verschwunden waren, ich wußte, daß es jetzt nutzlos
war, in die Farm zu gehen und McCormick um das Auto zu
bitten, ich würde ihn nie mehr um etwas bitten können; er tat
mir leid, denn er war erst sechs Jahre hier. Gleich nach dem
Krieg[8] war er hergekommen, ein freundlicher, rothaariger
Mann, der gern sprach und in jedem Jahr für einen Monat
verschwand, nach Nairobi, erzählte man, wo er einen Monat
lang auf geheimnisvolle Art untertauchte.

Es zeigte sich niemand auf seiner Farm, und ich schob mich
wieder in das Maisfeld und nahm mir vor, zurückzukehren,
wenn ich zu Hause alles geregelt hatte; wenn ich das Schnell-
feuergewehr bei mir gehabt hätte oder nur den alten Armeerevolver, dann wäre ich schon jetzt zur Farm hinübergegangen,
aber unbewaffnet und erschöpft, wie ich war, wäre es leicht-
fertig gewesen. Sie konnten einen zurückgelassen haben, sie
konnten alle sechs zurückkehren, es hatte keinen Zweck.

Ich kroch in die Richtung, in die auch der schmale Weg lief,
der das Maisfeld an einer Seite begrenzte, der Weg führte zu
meiner Farm. Ich hatte den schwierigsten Teil der Strecke hinter
mir, ich hatte mich ausgeruht und gegessen, ich hatte die
Gleichgültigkeit und den Durst überwunden: ich zweifelte nicht
daran, daß ich rechtzeitig auf meiner Farm sein würde. Je
näher ich kam, desto größer wurde meine Angst vor ihrer List
und das Mißtrauen gegenüber meinem Freispruch. Warum
hatte Lukas mich gehen lassen, Lukas, sanftmütiger Knecht
und Zauberer, welch eine List hatte er für mich ersonnen? Die
Angst ließ mich zwischen den Maisstauden aufstehen, ich

schob die Hände vor und begann, so gut es ging, zu laufen. Ich lief durch das Feld, blieb stehen, lauschte, hörte mein Herz schlagen und lief weiter. Ich spürte, wie meine Oberschenkel sich verkrampften, starr und gefühllos wurden, auf der Brust entdeckte ich die Spuren der Dornen, kleine, blutverkrustete Kratzer, meine Arme zitterten. Mein Mund war geöffnet, der Oberkörper lag weit vornüber: so lief ich durch den Mais, und als ich das Ende des Feldes erreicht hatte, gönnte ich mir keine Ruhe; ich lief zur Straße, ich glaubte, daß ich immer noch liefe, ich hörte meinen Schritt gegen die Erde klopfen, und ich glaubte, daß ich liefe – aber wenn ich gelaufen wäre, hätte ich mein Ziel früher erreichen müssen, ich taumelte vorwärts, von der Angst und der Hitze geschlagen, ich konnte meinen Schritt kaum noch kontrollieren.

Dann kam ich wieder an ein Maisfeld, lange vor Sonnenuntergang, und das war mein eigener Mais. Hinter ihm lag die Farm, eine letzte Anstrengung, dann hätte ich sie erreicht, ich sah sie schon vor mir liegen, obwohl der Mais sie meinem Blick entzog, meine Farm, Lukas' Farm. Ich bog vom Weg ab und lief durch den Mais, die Stauden schienen kräftiger und höher, die Kolben größer zu sein als die in McCormicks Feld – ich lief bis zu einer Furche, hatte Lukas sie in den Boden gerissen, hatte ich es getan? Ich hatte mich unterschätzt, ich hatte meine Kräfte zu gering angesehen, jetzt spürte ich, worüber ich noch verfügte.

Ich sah die Stauden lichter werden, das war das Ende des Feldes. Ich trat aus dem Maisfeld. Ich preßte die Hände gegen die Brust. Ich hob den Kopf und blickte zu den Brotbäumen hinüber. Die Farm stand nicht mehr, und es war lange vor Sonnenuntergang. Ich ging zu den Brotbäumen und sah in die Asche. Ich kniete mich hin und faßte mit beiden Händen hinein. Die Asche war kalt.

Der seelische Ratgeber

Sie lobten mich zu Wenzel Wittko hinüber,[1] dem seelischen Ratgeber unserer Zeitschrift, und sie machten mich zu seinem Gehilfen. Nie habe ich für einen Menschen gearbeitet wie für Wenzel Wittko. Er hatte kurzes, schwarzes Haar, versonnene Augen, gütig war sein Mund, gütig das Lächeln, das er zeigte, über seinem ganzen teigigen Gesicht lag ein Ausdruck rätselhafter Güte. Mit dieser Güte arbeitete er; mit Geduld, Gin und Güte las er die tausend Briefe, die der Bote seufzend zu uns hereintrug: Briefe der Beladenen, der Einsamen und Ratsuchenden. Oh, niemand kann das Gewicht der Briefe schätzen, das traurige Gewicht der Fragen, mit denen sich die Leser an Wenzel Wittko wandten. Sie schrieben ihm all ihre Sorgen, ihre Verzweiflungen, ihre Wünsche – er wußte immer Rat. Er wußte, was einer Dame zu antworten war, die keine Freunde besaß; er tröstete eine Hausfrau, deren Mann nachts aus dem Eisschrank aß; souverän entschied er, ob man seine Jugendliebe heiraten dürfe: keiner, der eine Frage an ihn stellte, ging leer aus. Die Sekretärin, die unsicher war, ob ihr Chef sie nach Hause fahren dürfe; der junge Mann, dessen Schwiegereltern ihn mit »Sie« anredeten, die Witwe, die von ihrer ehrgeizigen Tochter ein Schlagsahneverbot erhalten hatte – alle, alle erhielten persönlichen Trost und Ratschlag. Es gab nichts, was Wenzel Wittko umgangen, wovor er gekniffen hätte: alles unter der Sonne konnte er entscheiden, aufrichten und beschwichtigen: was sich entglitten war, wurde zusammengeführt; was bedrückte, wurde ausgesondert; wo es an Frohsinn mangelte, wurde er hinverfügt. Wo kein Mensch mehr raten konnte: Wenzel Wittko, unser seelischer Ratgeber, brachte es mit Geduld, Gin und Güte zustande.

Ich durfte ihm dabei helfen, ich und Elsa Kossoleit, unsere Sekretärin: bewundernd sahen wir zu, wie er den Korb mit den straff geschnürten Briefpacken in sein Zimmer zog, wie er sich hinkniete, die Schnüre löste und sein gütiges Gesicht tief und träumerisch über den Inhalt senkte. Bewunderung war das wenigste, was wir für ihn aufbrachten; wenn er grüßte, empfanden wir ein warmes Glück, wenn er uns rief, eine heiße Freude.

Mich rief er schon am ersten Tag zu sich; höflich lud er mich ein, Platz zu nehmen, bot mir Gin in der Teetasse an, musterte mich lange mit rätselhafter Güte.

»Kleiner«, sagte er plötzlich, »hör mal zu, Kleiner.«

»Ja«, sagte ich.

»Du wirst einen Weg für mich machen, Kleiner. Du kannst zu Fuß hingehen, es ist nicht weit. Du brauchst nur einen Brief für mich abzugeben, in meiner alten Wohnung.«

»Gern«, sagte ich, »sehr gern.«

Er gab mir den Brief, und ich machte mich auf – schwer sind die frühen Jahre der Lehre. Ohne mich aufzuhalten, forschte ich nach der Straße, forschte nach dem Haus; es war eine stille, melancholische Villa, in der sich die alte Wohnung von Wenzel Wittko befand. Ich klingelte, wartete und klingelte noch einmal, dann erklang ein zögernder, leichter Schritt, eine Sicherheitskette wurde entfernt und die Tür mißtrauisch geöffnet. Im Spalt stand eine schmale alte Frau; unwillig, die Mühsal der Treppe im kleinen Vogelgesicht, fragte sie mich nach dem Grund der Störung.

»Ein Brief«, sagte ich.

Sie sah mich erstaunt an.

»Ein Brief von Herrn Wittko.«

Sie streckte die Hand aus, nahm mir hastig den Brief ab, riß ihn auf und las, und obschon ihr Gesicht gesenkt war, sah ich, daß ein Ausdruck von feiner Geringschätzung auf ihm erschien, von würdevoller Verachtung und noblem Haß: sie las nicht zu Ende. Sie hob den Kopf, knüllte mir den Brief in die Hand und sagte:

»Nehmen Sie. Diese Kündigung hätte der Vagabund sich sparen können. Wir haben ihn schon vorher rausgesetzt.«

Ich sah sie betroffen an, mit hilfloser Erschrockenheit, und ich sagte:

»Das ist aber ein Brief von Wenzel Wittko.«

»Das habe ich gesehen«, sagte sie. »Wir sind glücklich, daß er aus dem Haus verschwunden ist.«

Sie schloß die Tür; ich hörte den zögernden, leichten Schritt, hörte im Haus eine Tür schlagen, und ich wandte mich ratlos um und ging zur Redaktion zurück.

Ich gab Wenzel Wittko den Brief, er lächelte, als er ihn in der Hand hielt, lächelte in all seiner rätselhaften Güte; schließlich glättete er ihn sorgfältig mit dem Lineal und schob ihn in seine Brusttasche: die Briefe der Beladenen waren wichtiger, sie durften nicht warten. Er hatte bereits einige zusammengestellt, und er rief Elsa Kossoleit und diktierte ihr die Antwortspalte: wie man sich bei Treulosigkeit des Mannes zu verhalten habe, wie ein junges Mädchen sich trösten könne, das mit zu großen Füßen geboren war, was gegen eine abergläubische Großmutter auszurichten sei. Wir lauschten seinem sanften Diktat, sannen der Art nach, wie er die Welt einrenkte, wesentliche Wünsche erfüllte; mit halbgeschlossenen Augen, an der Teetasse mit dem Gin nippend, so gab er Ratschlag um Ratschlag ab zum Wohl der Zeit.

Nachdem er sich verströmt hatte in Trost und Aufrichtung, rief er mich wieder zu sich.

»Kleiner«, sagte er. »Du könntest etwas für mich tun. Hier sind zwei Päckchen für meinen Sohn, es sind Spielsachen drin, kleine Dinge, die Freude machen: du könntest sie abgeben für ihn.«

»Gern«, sagte ich, »sehr gern.«

»Der Junge ist draußen im Internat«, sagte er. »Du kannst mit der Bahn hinfahren; das Geld gebe ich dir zurück.«

»Ich fahr wirklich gern hin«, sagte ich.

Er faßte mich ins Auge, schaute mich mit versonnener Liebe an und gab mir die Päckchen und entließ mich.

Frohgemut fuhr ich hinaus, wo das Internat lag; es lag in bewaldeter Vorstadt, am Strom, hoch an teurem Hang: weiß sah ich es vor mir aufschimmern, mauerumgeben. Über knirschendem Kiesweg näherte ich mich, passierte den Pförtner, passierte eine Ruheterrasse, auf der zarte Zöglinge ihren Körper der Sonne aussetzten; dann landete ich im Geschäftszimmer

Ich übergab die Päckchen einem gut gekleideten, hinkenden Herrn; er würde sie sofort weiterleiten, sagte er, direkt an den Sohn von Wenzel Wittko: beruhigt zog ich davon. Doch ich hatte das glasverkleidete Pförtnerhaus noch nicht erreicht, als mich ein verstörter Junge einholte, in schnellem Lauf kam er heran, die Päckchen unterm Arm; blond, mit fuchtelnden Armen verstellte er mir den Weg, schob mir die Päckchen zu und sagte:

»Hier, nehmen Sie das. Bringen Sie alles zurück.«

»Es ist für dich«, sagte ich vorwurfsvoll, »es ist von deinem Vater.«

»Deswegen«, sagte er. »Schmeißen Sie es ihm hin, ich will nichts von ihm haben. Er soll auch nicht mehr rauskommen hierher.«

»Heißt du denn überhaupt Wittko?« fragte ich.

»Ja«, sagte er, »leider heiße ich so. Nehmen Sie das Zeug wieder mit.«

Unschlüssig nahm ich die Päckchen wieder an mich, blieb stehen, sah dem Jungen nach, der eilig verschwand, zu eilig, ohne sich noch einmal nach mir umzublicken. Diesmal jedoch wollte ich meinen Auftrag erfüllen, wollte Wenzel Wittko nicht enttäuschen, und darum übergab ich beide Päckchen dem Pförtner, der mir versprach, sie weiterzuleiten.

So konnte ich Wenzel Wittko den Schmerz der Zurückweisung ersparen; er brauchte sich nicht damit abzugeben, konnte frei sein für die Briefe der Beladenen, denen allen er etwas zu raten und zu sagen hatte. Und mit Geduld, Gin und rätselhafter Güte schöpfte er nützliche Weisheit aus dem Brunnen seiner Seele; der Brunnen versiegte nicht, für alles, was Wenzel Wittko erreichte, hielt er lindernden Ratschlag bereit. Ob Eheleute getrennt verreisen sollen, ob man sich einen zu groß geratenen Mund kleiner schminken darf, ob man als Frau nachgiebig oder schon als Bräutigam tonangebend sein soll: alle wesentlichen Fragen der Zeit wurden von Wenzel Wittko, unserem seelischen Ratgeber, gelöst; jeder, der sich an ihn wandte, durfte hoffen, selbstlos verströmte er sich für die andern.

Ich hatte nur die Gelegenheit, mich für ihn zu verströmen:

freudig trug ich neue Briefe zu ihm hinein, gern kaufte ich Gin
für ihn, spülte die gebrauchten Tassen aus, und ehrgeizig
erledigte ich Botengänge, um die er mich bat. Wie er sich für
andere opferte, so opferte ich mich für ihn.

Darum bedrückte es mich auch nicht, als er mich eines Tages
nach Feierabend bat, einen Brief für ihn in einer Kneipe abzugeben; glücklich machte ich mich auf den Weg. Es war eine
Kellerkneipe, die ich ausmachte: leer und zugig, Zementfuß-
boden, die Tische mit Sand geschrubbt, niemand war außer mir
da. Ich trat an die polierte Theke, wartete, räusperte mich, und
als immer noch keiner kam, schlug ich zwei Gläser gegeneinander. Jetzt erschien hinter einem braunen Vorhang eine
Frau; sie war hübsch und müde, scharfe Schatten unter den
Augen. Leise, im weißen Kittel, ging sie hinter die Theke, ihre
Hand hob sich zum Bierhahn hinauf, doch ich winkte ab.

Ich gab ihr den Brief.

»Für Sie«, sagte ich.

Sie nahm den Brief, hielt ihn unter das Licht und las den
Absender, und plötzlich wurde ihr Gesicht starr, eine alte Er-
bitterung zeigte sich, und die Frau zerriß den Brief, ohne ihn
gelesen zu haben, steckte die Schnipsel in die Kitteltasche.

»Es tut mir leid«, sagte ich unwillkürlich.

»Das macht nichts«, sagte sie, »es geht schon vorbei, es ist
schon vorbei.« In ihren müden Augen standen Tränen.

»Kann ich etwas tun?«, fragte ich.

Sie schüttelte den Kopf.

»Nein«, sagte sie. »Es ist nichts mehr zu tun, es ist alles zu
Ende. Sagen Sie meinem Mann, daß ich die Scheidung beantragt habe. Mehr brauchen Sie ihm nicht zu sagen.«

»Ich arbeite für ihn«, sagte ich.

»Das tut mir leid«, sagte sie, und sie wandte sich langsam
um, eine Hand in der Kitteltasche, ging auf den braunen Vorhang zu und schlug ihn zur Seite. Ich sah, daß ihre Schultern
zuckten.

Still verließ ich die Kneipe, ging die sauberen Zementstufen
hinauf; es war windig draußen, und ich begann zu frieren. Ich
schlug den Weg zur Redaktion ein: es brannte noch Licht oben,
Wenzel Wittko wartete auf mich, heute abend noch wollte er

eine Antwort haben. Als ich zu ihm kam, saß er vor einem Stapel von Briefen und einer Tasse Gin, und der erste Blick, der mich beim Eintreten traf, war scharf und grausam, so grausam, daß ich erschrak, doch dann löste sich sein Ausdruck, Güte lag wieder in seinem Gesicht, die rätselhafte Güte, mit der er allen Beladenen draußen in der Welt riet und half.

»Was ist, Kleiner«, fragte er, »was ist los mit dir?«

»Ich glaube nichts«,[2] sagte ich.

»Hast du den Brief abgegeben?«

»Ja«, sagte ich.

»Und hast du mir etwas mitgebracht?«

»Die Scheidung«, sagte ich. »Ihre Frau hat die Scheidung beantragt.«

Ein Schimmer von schneller Genugtuung trat in seine Augen, eine seufzende Zufriedenheit, aber er fing sich sofort, zeigte auf die gestapelten Briefe, die vor ihm lagen, und sagte milde:

»Sie warten noch auf mich, Kleiner. Sie warten alle darauf, daß ich ihnen etwas sage. Es gibt soviel Leute, die Hilfe brauchen, ich kann sie nicht im Stich lassen.«

Und er versenkte sich tief und träumerisch in das Studium der Briefe; ich aber ging. Ich ging langsam die Treppe hinab und dachte an den nächsten Tag, und ich hatte das Gefühl, mit meinem Gesicht in einen Haufen Asche gefallen zu sein . . .

Die Nacht im Hotel

Der Nachtportier strich mit seinen abgebissenen Fingerkuppen über eine Kladde, hob bedauernd die Schultern und drehte seinen Körper zur linken Seite, wobei sich der Stoff seiner Uniform gefährlich unter dem Arm spannte.

»Das ist die einzige Möglichkeit«, sagte er. »Zu so später Stunde werden Sie nirgendwo ein Einzelzimmer bekommen. Es steht Ihnen natürlich frei, in anderen Hotels nachzufragen. Aber ich kann Ihnen schon jetzt sagen, daß wir, wenn Sie ergebnislos zurückkommen, nicht mehr in der Lage sein werden, Ihnen zu dienen. Denn das freie Bett in dem Doppelzimmer, das Sie – ich weiß nicht aus welchen Gründen – nicht nehmen wollen, wird dann auch einen Müden gefunden haben.«

»Gut«, sagte Schwamm, »ich werde das Bett nehmen. Nur, wie Sie vielleicht verstehen werden, möchte ich wissen, mit wem ich das Zimmer zu teilen habe; nicht aus Vorsicht, gewiß nicht, denn ich habe nichts zu fürchten. Ist mein Partner – Leute, mit denen man eine Nacht verbringt, könnte man doch fast Partner nennen – schon da?«

»Ja, er ist da und schläft.«

»Er schläft«, wiederholte Schwamm, ließ sich die Anmeldeformulare geben, füllte sie aus und reichte sie dem Nachtportier zurück; dann ging er hinauf.

Unwillkürlich verlangsamte Schwamm, als er die Zimmertür mit der ihm genannten Zahl erblickte, seine Schritte, hielt den Atem an, in der Hoffnung, Geräusche, die der Fremde verursachen könnte, zu hören, und beugte sich dann zum Schlüsselloch hinab. Das Zimmer war dunkel. In diesem Augenblick hörte er jemanden die Treppe heraufkommen, und jetzt mußte er handeln. Er konnte fortgehen, selbstverständlich, und so tun, als ob er sich im Korridor geirrt habe. Eine andere Möglichkeit bestand darin, in das Zimmer zu treten, in welches er rechtmäßig eingewiesen worden war und in dessen einem Bett bereits ein Mann schlief.

Schwamm drückte die Klinke herab. Er schloß die Tür wieder und tastete mit flacher Hand nach dem Lichtschalter. Da hielt er plötzlich inne: neben ihm – und er schloß sofort, daß da die Betten stehen müßten – sagte jemand mit einer dunklen, aber auch energischen Stimme:

»Halt! Bitte machen Sie kein Licht. Sie würden mir einen Gefallen tun, wenn Sie das Zimmer dunkel ließen.«

»Haben Sie auf mich gewartet?« fragte Schwamm erschrocken; doch er erhielt keine Antwort. Statt dessen sagte der Fremde:

»Stolpern Sie nicht über meine Krücken, und seien Sie vorsichtig, daß Sie nicht über meinen Koffer fallen, der ungefähr in der Mitte des Zimmers steht. Ich werde Sie sicher zu Ihrem Bett dirigieren: Gehen Sie drei Schritte an der Wand entlang, und dann wenden Sie sich nach links, und wenn Sie wiederum drei Schritte getan haben, werden Sie den Bettpfosten berühren können.«

Schwamm gehorchte: er erreichte sein Bett, entkleidete sich und schlüpfte unter die Decke. Er hörte die Atemzüge des anderen und spürte, daß er vorerst nicht würde einschlafen können.

»Übrigens«, sagte er zögernd nach einer Weile, »mein Name ist Schwamm.«

»So«, sagte der andere.

»Ja.«

»Sind Sie zu einem Kongreß hierhergekommen?«

»Nein. Und Sie?«

»Nein.«

»Geschäftlich?«

»Nein, das kann man nicht sagen.«

»Wahrscheinlich habe ich den merkwürdigsten Grund, den je ein Mensch hatte, um in die Stadt zu fahren«, sagte Schwamm. Auf dem nahen Bahnhof rangierte ein Zug. Die Erde zitterte, und die Betten, in denen die Männer lagen, vibrierten.

»Wollen Sie in der Stadt Selbstmord begehen?« fragte der andere.

»Nein«, sagte Schwamm, »sehe ich so aus?«

»Ich weiß nicht, wie Sie aussehen«, sagte der andere, »es ist dunkel.«

Schwamm erklärte mit banger Fröhlichkeit in der Stimme:

»Gott bewahre, nein. Ich habe einen Sohn, Herr . . . (der andere nannte nicht seinen Namen), einen kleinen Lausejungen,[1] und seinetwegen bin ich hierhergefahren.«

»Ist er im Krankenhaus?«

»Wieso denn? Er ist gesund, ein wenig bleich zwar, das mag sein, aber sonst sehr gesund. Ich wollte Ihnen sagen, warum ich hier bin, hier bei Ihnen, in diesem Zimmer. Wie ich schon sagte, hängt das mit meinem Jungen zusammen. Er ist äußerst sensibel, mimosenhaft, er reagiert bereits, wenn ein Schatten auf ihn fällt.«

»Also ist er doch im Krankenhaus.«

»Nein«, rief Schwamm, »ich sagte schon, daß er gesund ist, in jeder Hinsicht. Aber er ist gefährdet, dieser kleine Bengel hat eine Glasseele, und darum ist er bedroht.«

»Warum begeht er nicht Selbstmord?« fragte der andere.

»Aber hören Sie, ein Kind wie er, ungereift, in solch einem Alter! Warum sagen Sie das? Nein, mein Junge ist aus folgendem Grunde gefährdet: Jeden Morgen, wenn er zur Schule geht – er geht übrigens immer allein dorthin – jeden Morgen muß er vor einer Schranke stehen bleiben und warten, bis der Frühzug vorbei ist. Er steht dann da, der kleine Kerl, und winkt, winkt heftig und freundlich und verzweifelt.«

»Ja und?«[2]

»Dann«, sagte Schwamm, »dann geht er in die Schule, und wenn er nach Hause kommt, ist er verstört und benommen, und manchmal heult er auch. Er ist nicht imstande, seine Schularbeiten zu machen, er mag nicht spielen und nicht sprechen: das geht nun schon seit Monaten so, jeden lieben Tag. Der Junge geht mir kaputt dabei!«

»Was veranlaßt ihn denn zu solchem Verhalten?«

»Sehen Sie«, sagte Schwamm, »das ist merkwürdig: Der Junge winkt, und – wie er traurig sieht – es winkt ihm keiner der Reisenden zurück. Und das nimmt er sich so zu Herzen, daß wir – meine Frau und ich – die größten Befürchtungen haben. Er winkt, und keiner winkt zurück; man kann die Reisenden natürlich nicht dazu zwingen, und es wäre absurd und lächerlich, eine diesbezügliche Vorschrift zu erlassen, aber . . .«

»Und Sie, Herr Schwamm, wollen nun das Elend Ihres Jungen aufsaugen, indem Sie morgen den Frühzug nehmen, um dem Kleinen zu winken?«

»Ja«, sagte Schwamm, »ja.«

»Mich«, sagte der Fremde, »gehen Kinder nichts an. Ich hasse sie und weiche ihnen aus, denn ihretwegen habe ich – wenn man's genau nimmt – meine Frau verloren. Sie starb bei der ersten Geburt.«

»Das tut mir leid«, sagte Schwamm und stützte sich im Bett auf. Eine angenehme Wärme floß durch seinen Körper; er spürte, daß er jetzt würde einschlafen können.

Der andere fragte: »Sie fahren nach Kurzbach, nicht wahr?«

»Ja.«

»Und Ihnen kommen keine Bedenken bei Ihrem Vorhaben? Offener gesagt: Sie schämen sich nicht, Ihren Jungen zu betrügen? Denn, was Sie vorhaben, Sie müssen es zugeben, ist doch ein glatter Betrug, eine Hintergehung.«

Schwamm sagte aufgebracht: »Was erlauben Sie sich, ich bitte Sie, wie kommen Sie dazu!« Er ließ sich fallen, zog die Decke über den Kopf, lag eine Weile überlegend da und schlief dann ein.

Als er am nächsten Morgen erwachte, stellte er fest, daß er allein im Zimmer war. Er blickte auf die Uhr und erschrak: bis zum Morgenzug blieben ihm noch fünf Minuten, es war ausgeschlossen, daß er ihn noch erreichte.

Am Nachmittag – er konnte es sich nicht leisten, noch eine Nacht in der Stadt zu bleiben – kam er niedergeschlagen und enttäuscht zu Hause an.

Sein Junge öffnete ihm die Tür, glücklich, außer sich vor Freude. Er warf sich ihm entgegen und hämmerte mit den Fäusten gegen seinen Schenkel und rief:

»Einer hat gewinkt, einer hat ganz lange gewinkt.«

»Mit einer Krücke?« fragte Schwamm.

»Ja, mit einem Stock. Und zuletzt hat er sein Taschentuch an den Stock gebunden und es so lange aus dem Fenster gehalten, bis ich es nicht mehr sehen konnte.«

Stimmungen der See

Zuerst war Lorenz am Treffpunkt. Er streifte den Rucksack ab und legte sich hin. Er legte sich hinter eine Strandkiefer, schob den Kopf nach vorn und blickte den zerrissenen Hang der Steilküste hinab. Der kreidige Hang mit den ausgewaschenen Rinnen war grau, die See ruhig; über dem Wasser lag ein langsam ziehender Frühnebel, und auf dem steinigen Strand unten war das Boot. Es begann, hell zu werden.

Lorenz schob sich zurück, wandte den Kopf und blickte den Pfad entlang, der neben der Steilküste hinlief, in einer Bodensenke verschwand und wieder zum Vorschein kam, dort, wo er in die lichte Schonung der Strandkiefern hineinführte. Er sah aus der Schonung die massige Gestalt eines Mannes mit Rucksack treten, sah den Mann stehenbleiben und zurücklauschen und wieder weitergehen, bis sein Körper in der Bodensenke verschwand und nur noch der Kopf sichtbar war. Der Mann trug einen schwarzen Schlapphut und einen schwarzen Umhang. Er näherte sich sehr langsam. Als er die Bodensenke hinter sich hatte, konnte Lorenz seinen Schritt hören: es war der Professor. Sie gaben sich die Hand, Lorenz klinkte den Karabinerhaken des Rucksacks aus, der Professor legte sich hin, und sie schoben sich wortlos bis zum Steilhang vor und sahen auf das Boot hinab und auf das schiefergraue Wasser, über dem in kurzer Entfernung vom Strand die Nebelwand lag.

»Ich dachte, ich komme zu spät«, sagte der Professor leise, »aber Tadeusz fehlt noch.«

Der Professor hatte ein schwammiges Gesicht, entzündete Augen, sein Haar und der drahtige Walroßbart waren grau wie der kreidige Hang der Steilküste, und sein Kinn und der schlaffe Hals unrasiert.

»Wann kommt Tadeusz?« fragte er leise.

»Er müßte schon hier sein«, sagte Lorenz.

Der Professor legte sich auf die Seite, schlug den Umhang zurück und zog aus der Tasche eine zerknitterte Zigarette heraus, beleckte sie und zündete sie an. Er verbarg die Glut der Zigarette in der hohlen Hand. Das Pochen eines Fischkutter-Motors drang von der See herauf, sie blickten sich erschrocken an, doch das Geräusch des Motors setzte nicht aus, zog gleichmäßig im Nebel die Küste hinauf und entschwand.

»War er das?« fragte der Professor.

»Er fährt erst los, wenn Tadeusz das Haus verläßt«, sagte Lorenz. »Es war ein anderer Kutter.«

Sie warteten schweigend; der Nebel über der See hob sich nicht, es kam kein Wind auf, und im Dorf hinter dem Vorsprung der Steilküste blieb es still.

»In zwei Tagen sind wir in Schweden«, sagte der Professor. Lorenz nickte.

»Die Ostsee ist ein kleines Meer, sie ist verträglich im September.«

»Wir sind noch nicht drüben«, sagte Lorenz.

Unten am Strand schlugen klickend Steine zusammen, die Männer legten sich flach auf den Boden und lauschten, hoben nach einer Weile den Kopf und sahen den Steilhang hinunter: hinter dem Boot kauerte Tadeusz. Er blickte zu ihnen empor, er winkte, und sie standen auf, nahmen die Rucksäcke und gingen zu einer ausgewaschenen Rinne im Hang, in der ein Seil hing. Sie legten die Rucksäcke um und ließen sich am Seil auf den steinigen Strand hinab. Als sie unten standen, warf Lorenz eine Bucht, die Bucht lief das Seil hinauf wie eine gegen den Himmel laufende Welle, bis sie das Ende erreichte und es aus der Schlaufe riß, so daß das Seil zu ihnen hinabfiel. Dann liefen sie geduckt über den Strand zum Boot, warfen die Rucksäcke und das Seil hinein und schoben das Boot ins Wasser.

»Schnell«, sagte Tadeusz, »weg von Land.«

Tadeusz war ein stämmiger Mann; er trug eine Joppe mit Fischgrätenmuster, eine Ballonmütze mit versteiftem Pappschild, sein Gesicht war breitwangig, und seine Bewegungen waren ruckartig und abrupt wie die Bewegungen eines Eichhörnchens. Er ergriff einen Riemen und begann zu staken. Wenn der Riemen zwischen den Steinen auf Grund stieß,

knirschte es, und der Mann ließ seinen Blick über den Strand
unter der Steilküste wandern und hinauf zu den flach explodierenden Strandkiefern.[1] Er stakte das Boot in tiefes
Wasser. Lorenz und der Professor saßen auf ihren Rucksäcken
und hielten sich mit beiden Händen am Dollbord[2] fest; auch
sie blickten zur Küste zurück, die sich erweiterte und aus-
dehnte, während Tadeusz zu rudern anfing. Entschieden tauchten die Riemen ein, zogen lang durch und brachen geräuschlos
aus dem Wasser. Das Boot glitt stoßweise vorwärts.

Es war ein breitbordiges Beiboot, wie Küstenschiffe und
Fischkutter es an kurzer Leine hinter sich herschleppen, flach
gebaut, mit verstärkten Spanten[3] und nur eine Ducht in der
Mitte für den Ruderer. Das Boot lag leicht auf der See, es
konnte nur mit den Riemen gesteuert werden.

Als sie in den Nebel hinausfuhren, verloren sie das Gefühl,
auf dem Wasser zu sein; sie empfanden nur das stoßweise Vor-
wärtsgleiten des Bootes und hörten das leichte Rauschen, mit
dem der Bug durch die ruhige See schnitt. Tadeusz ruderte,
Lorenz und der Professor setzten sich auf die Bodenbretter
und lauschten in den Nebel, der quellend an der Bordwand
hochstieg, fließend über sie hinzog und sich in lautlosem Wallen
hinter ihnen schloß gleich einer flüssigen Wand. Lorenz senkte
sein Gesicht, er preßte die Hand auf den Mund, sein Rücken
krümmte sich, und er begann zu husten. Sein Gesicht schwoll
an, Tränen traten in seine Augen. Der Professor klopfte mit der
flachen Hand auf seinen Rücken. Ein Riemen hob beim Ausbrechen treibenden Tang hoch, warf ihn voraus, und der Tang
klatschte ins Wasser. Die Küste war nicht mehr zu sehen.

»Wie weit noch?« fragte der Professor.

Tadeusz antwortete nicht, er ruderte schärfer jetzt, legte
sich weit zurück, wenn er durchzog, ohne auf die knarrenden
Geräusche zu achten, auf das Knacken der Dollen.[4] Ein sau-
gender Luftzug, wie das scharfe Gleiten eines riesigen Vogels,
ging über sie hinweg, so daß sie die Gesichter hoben und aufsahen, aber es war nichts über ihnen als der fließende Nebel,
der alles verdeckte.

»Wo wartet der Kutter?« fragte Lorenz, der Jüngste im Boot.

»Eine Meile is abgemacht«,[5] sagte Tadeusz. »Wir wern haben die Hälfte. Wenn der Kutter kommt, wern wir ihn hören, und er wird man runtergehn mit der Fahrt[6] und auf uns warten. Is alles abgesprochen mit meinem Schwager.«

»Und der Nebel«, sagte der Professor.

»Is nich abgesprochen, aber macht nix«, sagte Tadeusz. »Im Nebel wir könn uns Zeit lassen beim Umsteigen.«

»Die Hauptsache, wir kommen nach Schweden«, sagte der Professor.

»Erst müssen wir auf dem Kutter sein«, sagte Lorenz. Er hatte ein schmales Gesicht, einen fast lippenlosen Mund, und sein Haar war von bläulicher Schwärze. Lorenz sah krank aus.

Ein Stoß traf das Boot, eine dumpfe Erschütterung: sie waren auf einen treibenden Balken aufgefahren, der sich unter dem Boot drehte und schwappend neben der Bordwand zum Vorschein kam, an ihr entlangtrudelte und achteraus blieb. Vom Kutter war nichts zu hören, obwohl er jetzt ablegen mußte im Dorf. Lorenz fror; er kauerte sich im Heck des Bootes zusammen und starrte vor sich hin. Der Professor rauchte, blickte über den Bug voraus in den Nebel. Das Boot hatte keine Fußleisten, und wenn Tadeusz sich beim Rudern zurücklegte, stemmte er sich gegen die Rucksäcke.

»Wir müßten doch den Kutter hören«, sagte Lorenz.

»Der Kutter wird kommen«, sagte Tadeusz. Er machte noch einige kräftige Schläge, zog dann die Riemen ein, und das Boot schoß jetzt lautlos dahin und glitt langsam aus. Die Männer lauschten in die Richtung, wo sie hinter dem Nebel das Dorf vermuteten, aber das Pochen des Fischkutter-Motors war nicht zu hören. Der Professor erhob sich, das Boot schwankte nach beiden Seiten und lag erst wieder ruhig, als er sich auf den Rucksack setzte und angestrengt, mit offenem Mund lauschte. Sein schwarzer Schlapphut saß tief in der Stirn, das graue Haar stand strähnig über den Kragen des Umhangs hinaus. Der Walroßbart hatte nikotingelbe Flecken.

»Is alles abgemacht mit meinem Schwager«, sagte Tadeusz. »Er wird kommen mit dem Kutter und uns aufnehmen und rüberbringen nach Schweden. Die Anzahlung hat er schon bekommen. Er weiß, daß wir warten.«

»In zwei Tagen sind wir drüben«, sagte der Professor.

»Was ist mit⁷ den Posten?« sagte Lorenz.

»Mit den Posten is nix«, sagte Tadeusz. »Hab ich gesehn zwei Posten am Strand, waren sehr müde, gingen andere Richtung an der Küste entlang.«

Im Nebel entstand eine Bewegung, als ob eine unsichtbare Faust hineingeschlagen hätte: wolkig quoll es empor, wälzte sich rollend zur Seite wie nach einer lautlosen Explosion. »Vielleicht frischt es auf und es kommt ein Wind«, dachte Lorenz. Die Bewegung verlor sich, langsam fließend bewegte sich der Nebel wieder über der See. Das Boot drehte lautlos in der Strömung.

»In Schweden muß ich neues Rasierzeug besorgen«, sagte der Professor.

»Hoffentlich bleibt der Nebel, bis der Kutter kommt«, sagte Lorenz. »Jetzt ist es hell, und wenn der Nebel abzieht, können sie uns von der Küste im Fernglas sehen.«

»Wenn der Nebel abzieht, is auch nicht schlimm«, sagte Tadeusz. »Dann müssen wir uns lang ausstrecken im Boot und Kopf runter.«

Von der See her und aus der entgegengesetzten Richtung des Dorfes ertönte jetzt das gleichmäßige, dumpfe Tuckern des Fischkutters. Tadeusz ergriff die Riemen und führte sie ins Wasser. Der Professor schnippte die Zigarettenkippe fort. Lorenz erfaßte die beiden Tragegurte des Rucksackes. Das Tuckern des Motors kam näher, hallte echolos über das Wasser, doch es setzte nicht aus, und der Rhythmus änderte sich nicht.

»Fertigmachen zum Umsteigen«, sagte der Professor.

Lorenz ließ die Tragegurte wieder los, ging in die Hocke und drehte sich auf den Fußspitzen so weit herum, bis er in die Richtung blicken konnte, aus der das Tuckern kam. Die Ruderblätter fächelten leicht im Wasser wie die Brustflossen eines lauernden Fischs. Das Tuckern war nun in unmittelbarer Nähe, sie hörten das Rauschen der Bugwelle, glaubten das Klatschen des Netzes zu hören, das auf dem Deck trockengeschlagen wird, und dann sahen sie – oder glaubten, daß sie es sahen –, wie ein grauer Körper sich durch den Nebel schob, der

die Schwaden aufriß, gefährlich vor ihnen aufwuchs und vor-
beiglitt, ohne entschiedenen Umriß anzunehmen. Jetzt war das
Tuckern achteraus und entfernte sich unaufhörlich, zuletzt
hörten sie es schwach in gleichbleibender Entfernung, und sie
wußten, daß der Kutter am Landungssteg unterhalb des Dorfes
lag.

»Er hat uns nicht gefunden«, sagte Lorenz.

»Das war er nich«, sagte Tadeusz, »das war er bestimmt nich.«

Lorenz beugte sich über die Bordwand und blickte in das
Wasser, in dem einzelne Seegrashalme schwammen, die Halme
wanderten voraus, und er erkannte an ihnen, daß das Boot trieb.
Manchmal spürte er, wie sich das Boot hob, mit weichem
Zwang, so als würde es von einem kraftvollen und ruhigen
Atem angehoben: es war die aufkommende Dünung.

Vorsichtig begann Tadeusz zu rudern; er machte kurze
Schläge, ließ das Boot nach dem Schlag ausgleiten und lauschte
mit erhobenem Kopf und geschlossenen Augen.

»Wie lange würde man brauchen, um nach Schweden zu rudern?« fragte der Professor.

»Bis zum Jüngsten Tag«, sagte Lorenz gereizt.

»Die Ostsee ist doch aber ein kleines Meer.«

»Das kommt auf den Vergleich an.«

»Jedenfalls muß ich in Schweden gleich Rasierzeug kaufen«,
sagte der Professor. »An alles hab ich gedacht, nur das Rasierzeug mußte ich vergessen.«

»Besser wäre noch ein Friseur im Rucksack«, sagte Lorenz.
»Man sollte nie auf die Flucht gehen, ohne seinen Friseur mitzunehmen. Dann ist man die größte Sorge los.«

Der Professor musterte ihn mit einem verlegenen Blick,
strich über seinen fleckigen Walroßbart und kramte eine
krumme Zigarette hervor. Er rauchte schweigend, während
Tadeusz abwechselnd ruderte und lauschte. Lorenz löste seinen
Schal, band ihn über den Kopf, und so, daß er die Wangen
wärmte. Er dachte: »Nie wird der Kutter kommen, nie; es war
unvorsichtig, diesem Kerl die Anzahlung zu geben, er war
betrunken, und vielleicht war er darum der einzige, der uns
rüberbringen wollte. Wir hätten ihm das ganze Geld erst vor
der schwedischen Küste geben sollen.« Und er sagte:

»Dein feiner Schwager, Tadeusz, hat ein ziemlich großzügiges Gedächtnis. Ich glaube, er hat uns vergessen, denn er müßte längst hier sein.«

Tadeusz zuckte die Achseln.

»Vorhin«, sagte der Professor, »vorhin, als wir noch oben waren, da hörten wir einen Kutter; vielleicht war er es. Kann sein, daß er in der Nähe liegt und auf uns wartet.«

»Er weint sich die Augen nach uns aus«, sagte Lorenz.

»Wir müssen nix wie raus aus dem Nebel«, sagte Tadeusz.

»Wenn der Nebel aufhört, können wir sehen. Auf einem Kutter, der nich zu finden is, kann keiner nach Schweden rüber.«

»Soll ich rudern?« fragte Lorenz.

»Is mein Schwager«, sagte Tadeusz, »darum werd ich rudern. Geht noch.«

Er ruderte regelmäßig und mit langem Schlag, die Riemen bogen sich durch, hart brachen die Blätter aus, und das leichte Boot schoß durch das schiefergraue Wasser. Die lange Dünung wurde stärker, sie klatschte gegen den Rumpf des Bootes, wenn der Bug frei in der Luft stand. Das Tuckern des Kutters war nicht mehr zu hören. Tadeusz ruderte parallel zur Küste, zumindest vermutete er die Küste auf der Backbordseite, doch er konnte sie nicht sehen. Nach einer Weile zog er die Joppe mit dem Fischgrätenmuster aus, stopfte sie unter die Ducht und saß nun und ruderte im Pullover, der unter den Achseln verfilzt war und sich jedesmal, wenn er den Körper nach vorn legte, auf dem Rücken hoch schob. Lorenz kauerte reglos im Heck und blickte in die auseinanderlaufende Strudelspur des Bootes. Seine erdbraunen Uniformhosen waren an den Aufschlägen durchnäßt; er hatte einen Ellenbogen auf das Knie gestemmt und das Kinn in die Hand gestützt. Der Professor lag auf den Knien im Bug des Bootes, den Oberkörper nach vorn geschoben, vorausblickend. Er trug jetzt seinen Zwicker.

»Es wird heller«, sagte Tadeusz, »wir kommen raus aus der Küche,[8] war man nix wie eine Nebelbank.«

»Dann ist es geschafft«, sagte der Professor.

»Sicher«, sagte Lorenz, »dann sind wir da und können Rasierzeug kaufen. Wir sollten uns schon überlegen, wie Pinsel auf schwedisch heißt.«

Dann stieß das Boot aus der Nebelbank heraus und glitt, während Tadeusz die Riemen einzog, in die freie Dünung der See: Sie sahen auf den schleierigen Wulst des Nebels zurück und dann hinaus in die vom Horizont begrenzte Leere, auf der das Glitzern einer stechenden Sonne lag: der Kutter war nicht zu sehen.

»Die Ostsee ist ein kleines Meer«, sagte Lorenz unbeweglich, »besonders, wenn man sie vor sich hat.«

»Wir sind in 'ner Strömung drin«, sagte Tadeusz. Er zog den Pullover aus und stopfte ihn unter die Ducht. Lorenz band den Schal ab. Das Boot dümpelte[9] in der langen Dünung, die Strömung trug es hinaus.

»Der Kutter wird kommen und uns suchen«, sagte Tadeusz. »Macht nix, wenn wir in 'ner Strömung drin sind. Zu nah an der Küste is nich gut. Mein Schwager wird uns schon finden.«

»Er muß uns finden«, sagte der Professor. »Ich kann nicht zurück. Jetzt hat sich alles entschieden, jetzt wissen sie schon, daß ich fort bin. Nein, zurück geht es nicht mehr.«

Der Professor setzte den Zwicker ab, schloß die Augen und kniff mit Daumen und Zeigefinger seine Nasenwurzel, an der der Zwicker zwei gerötete Druckstellen hinterlassen hatte. Er seufzte. Eine grünliche Glaskugel, die sich von einem Netz gelöst hatte, trieb funkelnd vorbei in der Strömung. Scharf blitzte sie auf, wenn sie einen dünenden Wasserhügel hinaufrollte. Am Horizont standen weißgeränderte graue Wolken; es sah aus, als hindere ihr Gewicht sie daran, über den Himmel heraufzuziehen. Lorenz entdeckte als erster, daß sich weit draußen das Wasser zu krausen begann, es riffelte sich wie unter einem Schauer, und dann spürten sie den Ausläufer des Winds. Die Sonne brannte auf sie nieder. Der Kutter stieß nicht durch den Nebel, nicht einmal sein Tuckern war zu hören.

»Vielleicht können wir segeln«, sagte der Professor. »Wenn der Kutter nicht kommt, versuchen wir es so, und dann schaffen wir es auch.«

»Sicher«, sagte Lorenz, »wir können eine Briefmarke ans Ruder kleben und damit segeln.«

»Das Boot is tüchtig«, sagte Tadeusz, »ich hab eingepackt meine Wolldecke, und wenn nix is mit dem Kutter, dann wir können versuchen zu segeln. Hab ich gehört, daß einer is gesegelt sogar mit dem Faltboot über die Ostsee.«

»Der hat's zum Vergnügen gemacht«, sagte Lorenz.

»Was sollen wir denn tun?« sagte der Professor.

»Segeln«, sagte Lorenz, »was sonst. Und wenn wir rudern müßten, würden wir rudern, und wenn wir zu schwimmen hätten, würden wir schwimmen.«

Tadeusz richtete einen Riemen auf, band ihn an der Ducht fest, und sie nahmen den schwarzen Umhang des Professors und benutzten ihn als Segel, nachdem sie festgestellt hatten, daß die Wolldecke zu groß war und flatterte und sich aus der Befestigung losriß. Das Boot war jetzt schneller als die Strömung, die sie hinausführte: treibender Tang, der sie begleitet hatte, blieb zurück, das Boot zitterte unter den kleinen Stößen des Winds, parierte sie, fing sie auf, indem es leicht krängte und sich schnell wieder zurücklegte. Der Professor schnallte seinen Rucksack auf, zögerte, beobachtete einen Augenblick die beiden Männer, dann packte er Brot aus und zwei gekochte Eier und begann zu essen, ohne Lorenz und Tadeusz aus den Augen zu lassen. Lorenz wandte sich ab, und der Professor sagte:

»Haben Sie etwas gesagt?«

»Nein«, sagte Lorenz gereizt.

»Ich dachte, Sie hätten etwas gesagt.«

»Ich habe nichts gesagt.«

»Es hörte sich aber an, als ob Sie etwas gesagt hätten.«

»Kein Wort.«

»Dann muß ich mich geirrt haben«, sagte der Professor kauend. Der schwarze Umhang begann zu flattern, Lorenz zog ihn auseinander, so daß der Wind sich in ihm fing, und Tadeusz zwang das Boot auf den alten Kurs, indem er mit dem Riemen, der als Steuer diente, zu wriggen begann. Der Professor glättete das Papier, in dem sein Brot eingewickelt war, warf die Eierschalen über Bord und schnallte seinen Rucksack wieder zu und zündete sich eine Zigarette an. Während er rauchte, sprachen sie nicht. Das Boot machte stetige Fahrt, klatschend brach der Bug ein, wenn die Dünung ihn emporgetragen hatte, und die Küste duckte sich an die See und lag nun flach und grau und unbestimmbar unter dem Horizont, weit genug, und nun begann

Tadeusz zu essen, und Lorenz trank aus einer emaillierten Kruke mit Bierflaschenverschluß[10] warmen Kaffee. Der Kutter war nicht zu sehen.

Als die Küste außer Sicht war, sprang der Wind um. Sie segelten jetzt vor dem Wind, die Sonne im Rücken, und das Boot war schneller als die Strömung. Eine leere Holzkiste trieb vorbei, die Bretter leuchteten in der Sonne, dümpelten leuchtend vorüber. Eine breite Schaumspur zog sich bis zum Horizont, sie kreuzten die Schaumspur und segelten mit der Sonne im Rücken. »Was zu rauchen«, fragte der Professor und hielt Lorenz eine zerknitterte Zigarette hin. Lorenz nickte und zündete sich die Zigarette an. Er lächelte, während er den Rauch scharf inhalierte, und sagte:

»Wer von uns kann eigentlich segeln? Wer? Hast du schon mal gesegelt, Tadeusz?«

»Der Kutter wird kommen und uns suchen«, sagte Tadeusz, »mein Schwager wird uns helfen das letzte Stück.«

»Wir schaffen es auch so«, sagte der Professor. »Wenn wir nach Norden fahren, müssen wir ankommen, wo wir hinwollen. Das glaube ich. Wenn nur das Wetter nicht umschlägt.«

»Was glaubst du, Tadeusz?« fragte Lorenz.

»Glaub ich auch«, sagte Tadeusz nickend, »nu glaub ich dasselbe wie Professor.«

»Dann muß ich es wohl auch glauben«, sagte Lorenz, »jedenfalls fühle ich mich schon besser als im Nebel vor der Küste. Wie lange könnte es dauern – äußerstenfalls? Was meinst du, Tadeusz, wie lange wir brauchen werden?«

»Kann sein drei Tage, kann sein fünf Tage.«

»Die Ostsee ist ein kleines Meer«, sagte der Professor.

»Das ist es«, sagte Lorenz, »genau das. Man muß es nur oft genug wiederholen.«

Ein Flugzeug zog sehr hoch über sie hinweg, sie beobachteten es, sahen es im Nordosten heraufkommen und größer werden und einmal schnell aufblitzen, als die Sonne die Kanzel traf; es verschwand mit stoßweisem Brummen in südwestlicher Richtung. Tadeusz machte eine Schlaufe aus Sisal-Leine und nagelte sie am Heck fest, die Schlaufe lag lose um den Riemen, den Tadeusz nun mit einer Hand wie eine Ruderpinne umfaßte und das leichte Boot auf Kurs hielt. Sie banden Schnüre um die Ärmel des schwarzen Umhangs, der als Segel diente, zogen die Schnüre zur Seite herunter und zurrten sie an den Rollen fest, so daß der Wind den Umhang blähte und sich voll fing, ohne daß sie ihn halten mußten. Lorenz und der Professor blickten zur gleichen Zeit auf das volle schwarze Segel über ihnen, es sah aus wie eine pralle Vogelscheuche, die ihre halb erhobenen Arme schützend oder sogar in einer Art plumper Segnung über den Insassen hielt, und während sie beide hinaufblickten, trafen sich ihre Blicke, ruhten ineinander, als tauschten sie die gleiche Empfindung oder das gleiche Wort aus, das sie beim Anblick ihres Segels sagen wollten, und sie lächelten sich abermals zu.

»Ah«, sagte Lorenz, »jetzt sollte ich es Ihnen sagen, Professor, das ist ein guter Augenblick zur Beichte: ich war es damals, ich allein. Die andern haben mir dabei geholfen, aber ich fand Ihren Umhang auf dem Haken im Korridor, und ich nahm ihn im Vorbeigehen ab und trug ihn in die Klasse. Wissen Sie noch? Wir stellten den Kleiderständer in den Papierkorb, stopften Ihren Umhang aus und stellten alles hinters Katheder; wir schnitzten aus einer Rübe ein Gesicht, ich stülpte einen Schlapphut drauf, und das ganze Ding, wie es hinter dem Katheder stand, hatte eine enorme Ähnlichkeit mit Ihnen, Professor. Und als Sie dann in die Klasse kamen, ohne Zwicker, wissen Sie noch, ja? Und das grunzende Erstaunen, als Sie aufsahen und das Katheder besetzt fanden? Wissen Sie noch, was dann passierte, Professor? Sie verbeugten sich erstaunt vor Ihrem Umhang und sagten »Entschuldigung«, und rückwärts, ja, rückwärts gingen Sie wieder raus und schlossen die Tür. – Es war doch dieser Umhang?«

»Ja«, sagte der Professor, »es war dieser Umhang, er hat seine Geschichte.«

»Rauch«, sagte Tadeusz plötzlich.

Sie wandten sich zur Seite, über dem Horizont stand eine langgezogene Rauchfahne wie ein Versprechen; aus der See schien der Rauch aufzusteigen, lag an der Stelle seines Ursprungs unmittelbar auf dem Wasser, hob sich weiter in unregelmäßiger Spirale und löste sich unter den Wolken auf. Ein Schiff kam nicht in Sicht. Sie warteten darauf, und Lorenz kletterte auf die mittlere Ducht, wo er breitbeinig balancierend dastand und eine Weile die Rauchfahne beobachtete, doch auch er sah das Schiff nicht. Er setzte sich wieder auf die Bodenbretter. Solange die Rauchfahne über der See lag – sie waren nicht erstaunt, daß sie eine Stunde oder vielleicht auch anderthalb oder sogar zwei Stunden sichtbar blieb –, rechneten sie mit dem Aufkommen eines Schiffes, vielmehr Tadeusz hoffte es, während Lorenz und der Professor es befürchteten.

Der Wind wurde stärker, die Luft kühl, als die Sonne von den weißgeränderten, schwer aufziehenden Wolken erreicht und verdeckt wurde; das Wasser bekam die Farbe eines düsteren Grüns, und die ersten Spritzer fegten über sie hin, wenn das Boot einbrach. Sie saßen geduckt und mit angezogenen Beinen im Boot. Lorenz und Tadeusz begannen zu essen, sie aßen Brot und jeder eine Scheibe harter Dauerwurst. Sie tranken nicht. Der Professor zündete sich an der Kippe eine neue Zigarette an, schnippte die Kippe über Bord, sah, wie sie neben der Bordwand mit scharfem Aufzischen ins Wasser flog und achteraus blieb und in die kleinen Strudel des Kielwassers hineingeriet, wo sie unter die Oberfläche gewirbelt wurde. Er dachte: »Jetzt hat Lorenz sich beruhigt, er ist sogar freundlich geworden, demnach scheint er auch zuversichtlich zu sein für die ganze Angelegenheit. Ausgerechnet er, der Schüler, den ich zu hassen nie aufgehört habe, ist mein Führer auf der Flucht. Der argwöhnische Ausdruck seines Gesichts, schon damals sah er so aus, und an dem Abend, als wir uns unvermutet trafen – er trug die Uniform –: was war es nur, was ging in uns vor, daß wir flüsternd einander anvertrauten und flüsternd Pläne entwarfen? Es war, als ob er mich mit seinen Plänen bedrohte; ich hatte sie auch, aber sie wären Pläne geblieben, verborgen und unauffindbar für jeden andern, nur er, Lorenz, erzwang sich die Kenntnis dieser Pläne, flüsternd an den dunklen Abenden im Arbeitszimmer, und er verband sie mit seinen Plänen und bereitete alles vor, so daß ich, obwohl er nie ein entschiedenes Ja zu hören bekam, nicht mehr zurückkonnte, als er kam und sagte, daß der Termin feststehe. Er sah mich erschrecken, ich haßte ihn, weil er mich zwang, etwas zu tun, was ich zwar selbst zu tun wünschte, aber allein nicht getan hätte aus verschiedenen

Gründen, ja, er zwang mich, anzunehmen und zu glauben, daß der Plan zur Flucht von mir stamme und daß ich ihn dazu überredet habe, woraufhin er es auch mir überließ, zu bestimmen, wieviel Gepäck jeder mitnehmen könne und welche Motive wir für die Flucht nach der Landung in Schweden angeben sollten. Dabei ist er der Führer auf der Flucht geblieben, und jetzt verbirgt er nicht einmal, daß alles davon abhängt, was er tut und was er glaubt. Ich werde mich trennen von ihm, ja, bald nach der Landung werde ich sehen, daß wir auseinanderkommen.«

»Ein Stück Wurst?« fragte Lorenz freundlich. Er legte eine Scheibe rötlicher Dauerwurst auf die Ducht, aber der Professor schüttelte den Kopf.

»Nicht jetzt«, sagte er, »nicht jetzt.«

Tadeusz blickte während ihrer Unterhaltung zurück, reglos, mit halboffenem Mund, und jetzt schnellte er hoch, daß das Boot schwankte, seine Hand flog empor:

»Da«, rief er, »da is er wieder. Er verfolgt uns.«

»Wer?« fragte Lorenz.

»Jetzt is er weg«, sagte Tadeusz.

»Wer, zum Teufel?«

»Muß gewesen sein ein Hai, großer Hai.«

»Hier gibt es keine Haie«, sagte Lorenz. »Du hast geträumt.«

»In der Ostsee gibt es nur Heringshaie«, sagte der Professor. »Sie leben in tieferem Wasser und kommen nicht an die Oberfläche, außerdem werden sie nicht sehr groß und sind ungefährlich. Heringshaie greifen den Menschen nicht an.«

»Aber hab ich gesehn, wie er is geschwommen«, sagte Tadeusz. »So groß«, und er machte eine Bewegung, die über das ganze Boot hinging.

»Die Ostsee ist zu klein«, sagte der Professor. »Haie, die den Menschen angreifen, leben hier nicht.«

»Richte dich gefälligst danach,[11] Tadeusz«, sagte Lorenz.

Sie beobachteten gemeinsam die See hinter dem Boot, doch sie sahen nirgendwo den Körper oder den Rücken oder die Schwanzflosse des Fisches; sie sahen nur die zerrissenen Schaumkronen auf dem düsteren Grün der Wellen, die sie weit ausholend von hinten anliefen, das Boot hoben und nach vorn hinabdrückten, wobei der Riemen, mit dem sie steuerten, sich knarrend in der Schlaufe rieb und für einen Augenblick frei in der Luft stand. Spritzer fegten ins Boot, ihre Gesichter waren naß vom Seewasser. Lorenz spürte, wie der Kragen seines Hemdes zu kleben begann. Er band seinen Schal wieder um, und sie segelten schweigend mit achterem Wind und merkten am treibenden Tang, daß sie in einer querlaufenden Strömung waren. Sie segelten und trieben den zweiten Teil des Nachmittags, und am Abend sprang der Wind um. Sie hätten es nicht gemerkt, wenn sie nicht noch einmal, für kurze Zeit, die untergehende Sonne gesehen hätten. Der Wind wurde stärker und schüttelte mit kräftigen Stößen das Boot. Sie mußten das Notsegel einholen, denn der Riemen, der als Mast diente, war bei dem Wind für das Boot zu schwer.

»Und jetzt?« fragte der Professor.

»Jetzt wird gerudert«, sagte Lorenz, »ich fange an.«

»Ich werde rudern«, sagte Tadeusz. »Is mein Schwager, wo uns hat sitzenlassen, darum werde ich rudern. Nachher können wir uns ablösen.«

»Streng dich nicht sehr an, Tadeusz. Wer weiß, wozu wir unsere Kraft noch brauchen werden. Es genügt, wenn wir das Boot halten und nicht allzu weit abgetrieben werden.«

»Schweden hat eine lange Küste«, sagte der Professor.

»Hoffentlich ist der Wind derselben Ansicht«, sagte Lorenz.

Tadeusz ruderte bis zur Dämmerung, dann wurde die See unruhiger, und er mußte in den Wind drehen und konnte das Boot nur noch mit kurzen Schlägen auf der Stelle halten. Das Boot tauchte tief mit dem Bug ein, wenn eine Welle unter ihm hindurchgelaufen war, nahm Wasser über, schüttelte sich und glitt wie ein Schlitten den Wellenhügel hinab, bis die nächste Welle es abfing und emportrug. Der Professor kramte aus seinem Rucksack eine Konservendose heraus, entleerte sie und fing an, Wasser zu schöpfen, das schwappend, in trägem Rhythmus über die Bodenbretter hinwegspülte. Das Wasser funkelte, wo der Bug es zerspellte. Weiter entfernt leuchteten die zerrissenen Schaumkronen in der Dunkelheit.

Obwohl er ruderte, trug Tadeusz seine Joppe mit dem Fischgrätenmuster, Lorenz hatte seinen Pullover angezogen, und der

Professor hatte sich den Umhang übergelegt, während er Wasser schöpfte. Die Konservendose fuhr kratzend, mit blechernem Geräusch über die Bodenbretter, plumpsend fiel das Wasser zurück in die See, mit einem dunklen, gurgelnden Laut.

»Es regnet«, sagte der Professor plötzlich. »Ich habe die ersten Tropfen bekommen.«

»Dann werde ich rudern«, sagte Lorenz. »Komm, Tadeusz, laß mich vorbei.«

Er erhob sich, der Wind traf sie mit einem Stoß wie ein Faustschlag, und Lorenz und Tadeusz griffen nacheinander und preßten ihre Körper zusammen, um das Schwanken des Bootes aufzufangen: zitternd standen sie nebeneinander, duckten sich, schoben sich gespannt und langsam und ohne den Griff in der Kleidung des andern zu lösen, aneinander vorbei, und erst als sie beide saßen, Tadeusz im Heck und Lorenz auf der Ducht, lösten sie sich aus der Umklammerung. Lorenz legte sich in die Riemen, sein Körper hob sich so weit, daß sein Gesäß nicht mehr die Ducht berührte: stemmend, in schräger Haltung, als sei er an keine Schwerkraft gebunden, so machte er einige wilde Schläge, um das Boot, das querzuschlagen drohte, wieder mit dem Bug gegen die See zu bringen. Es war dunkel.

»Eh, Professor«, rief Lorenz.

»Ja? Ja, was ist?«

»Sie sollten versuchen, zu schlafen.«

»Jetzt?«

»Sie müssen es versuchen. Einer von uns muß frisch bleiben, für alle Fälle.«

»Gut«, sagte der Professor, »ich werde es versuchen.«

Er zog den Umhang über seinen Kopf, streckte die Beine aus und legte die Wange gegen seinen Rucksack. Er spürte, wie sich das Schwanken des Bootes in seinem Körper fortsetzte; sanft rieb die Wange über den durchnäßten Stoff des Rucksacks. Der Professor schloß die Augen, er fror. Durch seine Vermummung hörte er den Wind über die Bordkante pfeifen. Er wußte, daß er nicht schlafen würde. Tadeusz schöpfte mit der Konservendose Wasser, sobald die Bodenbretter überspült wurden; Lorenz ruderte. Er keuchte; obwohl er jetzt saß und nur noch versuchte, den Bug des Bootes im Wind zu halten, keuchte er und verzerrte beim Zurücklegen und Ausbrechen der Riemen sein Gesicht.

Plötzlich kroch Tadeusz bis zur mittleren Ducht vor, richtete sich zwischen Lorenz' gespreizten Beinen halb auf und hob sein breitwangiges Gesicht und flüsterte:

»Laß treiben, Lorenz, hat keinen Zweck nich. Vielleicht wir kriegen Sturm diese Nacht.«

»Verschwinde«, sagte Lorenz.

»Aber es wird kommen Sturm vielleicht.«

»Es kommt kein Sturm.«

»Und wenn?«

»Wir können nicht zurück, Tadeusz. Wir müssen versuchen, rüberzukommen. Wenn wir es alle versuchen, schaffen wir es. Wir können jetzt nicht aufgeben.«

»Wir können zurück und es morgen versuchen mit Kutter.«

»Ich scheiß auf deinen Kutter«, sagte Lorenz. »Deinen Schwager mit seinem Kutter soll die Pest holen. Jetzt können wir nicht zurück.«

»Und wenn viel Wasser kommt ins Boot?«

»Dann wirst du schöpfen.«

»Gut«, sagte Tadeusz.

Er kroch wieder zurück ins Heck, kauerte sich hin, und die Konservendose fuhr kratzend über die Bodenbretter, hob sich über die Bordwand: in glimmendem Strahl plumpste das Wasser zurück in die See.

Der Regen wurde schärfer, prasselte auf sie herab, trommelte gegen die Bordwand, ihre Gesichter waren naß, die Nässe durchdrang ihre Kleidung; das Geräusch des Regens war stärker als das Geräusch der See. Es war nur ein Schauer, denn nach einer Weile hörten sie wieder das Schnalzen der See, das Klatschen des einbrechenden Bugs im Wasser, und sie hatten wieder das Gefühl, von der Küste weit entfernt zu sein. Während der Regen auf sie niederging, hatten sowohl Tadeusz als auch Lorenz die unwillkürliche Empfindung, daß hinter der Wand des Regens ein Ufer sein müßte, sie glaubten sich für einen Augenblick nicht auf freier See, sondern – eingeengt, von der Regenwand umschlossen –, inmitten eines Teiches oder eines kleinen schilfgesäumten Gewässers, dessen Ufer zu erreichen sie nur einige lange Schläge kosten würde – nun, nachdem der Regen zu Ende war, kehrte das alte Gefühl zurück.

Gischt sprühte über das Boot, das jetzt in einigen unregelmäßigen Seen trudelte und sich schüttelte, durchsackte und dann mit sonderbarer Ruhe einen Wellenhügel hinabglitt, als nähme es Anlauf, um den gefährlich vor ihm aufwachsenden Kamm zu erklimmen. Lorenz hielt den Bug gegen die See.

»Da«, schrie Tadeusz auf einmal, »da, da!« Er schrie es so laut, daß der Professor hochschrak und seinen durchnäßten Umhang vom Kopf riß, so laut und befehlend, daß Lorenz die Riemen hob und nicht mehr weiterruderte, und sie brauchten nicht einmal Tadeusz' ausgestreckter Hand zu folgen, um zu erkennen, was er meinte und worauf er sie aufmerksam machen wollte. Ja, sie sahen es so zwangsläufig und automatisch, wie man sofort zwei glühende Augen in einem dunklen Raum sieht, den man betritt, oder doch so zwangsläufig, wie man in die einzige Richtung blickt, aus der man Rettung erwartet: sobald sie den Kopf hoben, mußten sie es sehen. Und sie sahen es alle. Das Schiff kam fast auf sie zu, ein erleuchtetes Schiff, ein Passagierschiff mit zwei Reihen von erleuchteten Bulleyes; sogar die Positionslampen im Topp konnten sie erkennen. Das Schiff machte schnelle Fahrt und kam schnell näher, sie konnten nicht sagen, wie weit es von ihnen entfernt war, sie vermuteten, daß das Schiff sehr nahe sein mußte, denn hinter einigen Bulleyes waren Schatten zu sehen.

»Wir müssen geben ein Zeichen«, sagte Tadeusz und sprang ruckartig auf, so daß das Boot heftig schwankte und an der Seite Wasser übernahm.

»Was für ein Zeichen?« fragte Lorenz ruhig. Er ruderte wieder.

»Ein Zeichen, daß sie uns rausholen.«

»Und dann?«

»Dann wir kriegen trockenes Bett und warmes Essen, und alles schmeckt. Hab ich Taschenlampe mitgebracht, ich kann geben Zeichen mit Taschenlampe.«

Tadeusz zog aus seiner Joppentasche eine schwarze, flache Taschenlampe heraus, hielt sie mit ausgestrecktem Arm Lorenz hin und sagte: »Hier, damit wir uns verschaffen trockenes Bett und warmes Essen.«

Lorenz nahm wortlos die Taschenlampe und ließ sie in seinem Rucksack verschwinden. Er ruderte schweigend, blickte aufmerksam zum Schiff hinüber, das jetzt querab von ihnen vorbeifuhr.

»Was ist«, fragte Tadeusz, »warum gibst du kein Zeichen?«

»Sei still. Oder laß dir vom Professor erklären, warum wir kein Zeichen geben können. Der Professor ist zuständig für Erklärungen.«

»Sie würden uns schön rausholen«, sagte Tadeusz.

»Ja«, sagte Lorenz, »sie würden uns schön rausholen. Aber weißt du, welch ein Schiff das ist? Weißt du, wohin es fährt und in welchem Hafen wir landen würden? Vielleicht würde es uns dahin zurückbringen, woher wir gekommen sind.«

»Wir können kein Zeichen geben«, sagte der Professor. »Wir sind so weit, daß wir uns unsere Retter aussuchen müssen. Aber warum sollten wir es? Morgen flaut der Wind wieder ab, und wir können segeln. Bisher ist alles gut gegangen, und es wird auch weiter alles gut gehen. Wir haben schon eine Menge geschafft.«

»Merk dir das, Tadeusz«, sagte Lorenz.

Die Bulleyes des Schiffes liefen zu einer leuchtenden Linie zusammen, die kürzer wurde, je mehr sich das Schiff entfernte und schließlich selbst nur noch ein Punkt war, der lange über dem Horizont stand wie ein starres, gelbes Auge in der Dunkelheit. Der Professor zog den nassen Umhang über den Kopf, legte die Wange an seinen Rucksack und schloß die Augen. Lorenz ruderte, und Tadeusz zog von Zeit zu Zeit die Konservenbüchse über die Bodenbretter und schöpfte Wasser. Einmal öffnete sich die Wolkendecke, ein Ausschnitt des Himmels wurde sichtbar, ein einziger Stern, dann schoben sich tiefziehende Wolken davor. Lorenz glaubte einen treibenden Gegenstand auf dem Wasser zu entdecken, doch er täuschte sich. Glimmend zogen sich Schaumspuren die Rücken der Wellen hinauf. Der Wind nahm nicht zu.

Später, als Lorenz nur noch das Gefühl hatte, daß seine Arme die Riemen wären, daß seine Handflächen ins Wasser tauchten

und das Boot gegen die See hielten, erhielt er einen kleinen
Stoß in den Rücken, und er sah den Professor hinter sich
kauern und ihm etwas entgegenhalten.

»Was ist das?« fragte Lorenz.

»Schnaps«, sagte der Professor. »Nehmen Sie einen Schluck,
und dann werde ich rudern.«

»Später«, sagte Lorenz. »Zuerst wollen wir die Plätze tau-
schen. Ich bin fertig.«

Sie schoben sich behutsam aneinander vorbei, ohne sich aufzurichten, das Boot schwankte, aber bevor der Wind es quer-
schlug, saß der Professor auf der Ruderduct und zog die Riemen durchs Wasser. Einen Augenblick lag das Boot wieder in
der See, doch nun drückte das Wasser und der Wind den linken
Riemen gegen die Bordwand, und der Professor arbeitete, um
den Riemen freizubekommen; er schaffte es nicht, gegen den
Druck des Wassers konnte er den verklemmten Riemen nicht
ausbrechen. Er ließ den rechten Riemen los, faßte den linken
mit beiden Händen und zog und stöhnte, doch nun schlug das
Boot quer, und eine Welle brach sich an der Bordkante und
schleuderte so viel Wasser hinein, daß die Bodenbretter schwammen. Tadeusz riß den Professor von der Ruderduct – sie wären
gekentert, wenn Lorenz nicht die heftige Bewegung ausgegli-
chen hätte, indem er sich instinktiv auf eine Seite warf –, ergriff
die Riemen, brach sie aus ihrer Verklemmung und ruderte peit-
schend und mit kurzen Schlägen, bis er den Bug herum-
zwang.

»Danke«, sagte der Professor leise, »vielen Dank.«

Tadeusz hörte es nicht. Der Professor zog eine Flasche
heraus, schraubte den Verschluß ab und reichte die Flasche
Tadeusz.

»Das wärmt«, sagte er.

Tadeusz trank, und nach ihm trank Lorenz einen Schluck.
Der Professor zündete sich eine Zigarette an; dann begann er
mit großer Sorgfalt und ohne Unterbrechung Wasser zu schöpfen; er schöpfte so lange, bis die Bodenbretter wieder fest
auflagen und grünlich und matt glänzten. Er hatte es vermieden,
Tadeusz oder Lorenz anzusehen, und als er sich aufrichtete,
sagte er:

»Ich bitte um Verzeihung. Ich weiß auch nicht, wie es geschah.«

»Der Schnaps wärmt gut«, sagte Tadeusz.

»Ich denke, Sie sollten nicht mehr rudern, Professor«, sagte Lorenz. »Sie können besser schöpfen. Damit ist uns mehr geholfen.«

»Ich kann auf den Schlaf verzichten. Ich werde immer schöpfen«, sagte der Professor leise.

Lorenz kauerte sich im Bug zusammen und versuchte zu schlafen, und er schlief auch ein, doch nach einiger Zeit weckte ihn Tadeusz durch einen Zuruf, und Lorenz löste ihn auf der Ducht ab. Dann lösten sie sich noch einmal ab, und als Lorenz aus seiner Erschöpfung erwachte, lag im Osten über der See ein roter Schimmer, der wuchs und über den Horizont hinaufdrängte. Das Wasser war schmutziggrün, im Osten hatte es eine rötliche Färbung. Die Schaumkronen leuchteten im frühen Licht.

Sie waren alle wach, als die Sonne aufging und sich gleich darauf hinter schmutziggrauen Wolken zurückzog, so als hätte sie sich nur überzeugen wollen, daß das Boot noch trieb und die Männer noch in ihm waren. Sie aßen gemeinsam, sie teilten diesmal, was sie mitgebracht hatten: Brot, Dauerwurst, gekochte Eier und fetten Speck, der Professor schraubte seine Schnapsflasche auf, und nach dem Essen rauchten sie.

»Da ist jedenfalls Osten«, sagte Lorenz und machte eine nickende Kopfbewegung gegen den Horizont, wo der rote Schimmer noch stand, aber nicht mehr frei und direkt stand, sondern abnehmend, indirekt, wie eine Erinnerung, die von den langsam ziehenden Wolken festgehalten wurde. Tadeusz versuchte, das Notsegel aufzurichten: der Wind war zu stark, immer wieder kippte der Riemen mit dem flatternden Umhang um – sie mußten rudern.

»Wie schnell treibt eigentlich ein Boot?« fragte Lorenz.

»Es kommt auf die Strömung und auf den Wind an«, sagte der Professor.

»Wieviel? Ungefähr.«

»Eine bis zwei Meilen in der Stunde kann man rechnen. Vielleicht auch weniger.«

»Also sind wir schätzungsweise zwanzig Meilen getrieben. Zumindest können wir das annehmen.«

»Ungefähr«, sagte der Professor. »Aber wir kennen die Strömung nicht. Manchmal ist die Strömung stärker als die See und bringt das Boot vorwärts, obwohl es so aussieht, als werde es zurückgeworfen.«

»Das ist ein sehr guter Gedanke«, sagte Lorenz. »Der hat uns bisher gefehlt. Unter diesen Umständen könnten wir bald in Schweden Rasierzeug kaufen.« Er blickte auf den schlaffen, unrasierten Hals des Professors, an dem ein nasser Hemdkragen klebte.

»Es war gut gemeint«, sagte Lorenz.

Der Professor lächelte.

Der ganze Vormittag blieb sonnenlos, die See wurde nicht ruhiger als in der Nacht: torkelnd, den Bug im Wind, trieb das Boot, während einer der Männer, Tadeusz oder Lorenz, ruderte. Tadeusz schwieg vorwurfsvoll, er kümmerte sich nicht um die kurzen flüsternden Gespräche zwischen Lorenz und dem Professor, achtete nicht auf ihr seltsames und lautloses Lachen – Tadeusz dachte an das erleuchtete Schiff, das ihren Kurs passiert hatte. Der Professor drehte im Schutz seines Umhangs Zigaretten, verteilte sie, reichte Feuer hinter einer gebogenen Handfläche; er reichte dem jeweils Rudernden die aufgeschraubte Schnapsflasche, ermunterte sie und schöpfte Wasser, sobald es schwappend über die Bodenbretter stieg. Der Professor blickte nicht auf die See. Er war sehr ruhig.

»Das nächste Mal steigen wir um«, sagte Lorenz plötzlich. »Wenn wir wieder ein Schiff treffen, geben wir Zeichen und lassen uns an Bord nehmen. Einverstanden, Tadeusz? Das ist fest abgemacht.«

Tadeusz nickte und sagte:

»Vielleicht das Schiff fährt nach Schweden. Wer kann wissen? Dann wir kommen schneller hin als mit Kutter.«

»Das meine ich auch«, sagte Lorenz. »Und nun hör auf, solch ein Gesicht zu machen. Wir sind nicht besser dran als du. Ich schätze, daß wir alle dieselben Möglichkeiten haben. Als wir die Sache anfingen, da haben wir uns eine Chance ausgerechnet, sonst wären wir jetzt nicht in dem Boot. Keiner von uns hat einen Vorteil.«

Tadeusz legte sich in die Riemen und schloß beim Zurück-legen die Augen.

Die schmutziggrauen Wolken zogen über den Horizont her-auf, schoben sich auf sie zu und standen nun unmittelbar voraus: Sturmwolken, die sich ineinander wälzten und an den Rändern wallend verschoben; ihr Zentrum schien unbeweglich. Die Männer im Boot sahen die Wolken voraus, sahen sie und spürten, daß es Zeit wurde, sich gefaßt zu machen, sich vor-zubereiten auf etwas, worauf sie sich in dem Boot weder vor-zubereiten wußten noch vorbereiten konnten, und da sie das ahnten und tun wollten, was zu tun ihnen angesichts der Größe des Bootes nicht möglich war, stopften sie die Rucksäcke unter die mittlere Ducht, schlugen die Kragen hoch und warteten.

»Wenn ich nur wüßte, wo wir sind«, sagte Lorenz.

»Es gibt eine Menge Inseln vor der Küste«, sagte der Profes-sor. »Wenn wir Glück haben, treiben wir irgendwo an. Wir werden schon an Land kommen.«

»Sicher. Die Ostsee ist ein kleines Meer.«

Als der erste Vorläufer des Sturms sie erreichte, war es finster über dem Wasser, eine fahle Dunkelheit herrschte, es war nicht die entschiedene, tröstliche, ruhende Dunkelheit der Nacht, sondern die gewaltsame, drohende Dunkelheit, die der Sturm vorausschickt. Die Männer rückten stillschweigend in die Mitte des Bootes, hoben die Hände, streckten sie zu den Seiten aus und umklammerten das Dollbord. Die Seen schienen kürzer zu werden, obwohl sie an Heftigkeit zunahmen. Auf den Rücken der Wellen kräuselte sich das Wasser, das jetzt dunkel war, von unbestimmbarer Farbe. Tadeusz spuckte seine Kippe ins Boot und stemmte die Absätze gegen die Kante der Bodenbretter, um den besten Widerstand zu finden. Er ruderte mit kurzen Schlägen.

Der Wind war wieder umgesprungen, doch sie konnten nicht bestimmen, aus welcher Richtung er kam und wohin sie abge-trieben wurden. Der Wind war so stark, daß er auf die Ruder-blätter drückte, und wenn Tadeusz sie ausbrach und zurück-führte, hatte er das Gefühl, daß an der Spitze der Riemen Ge-wichte hingen – was ihn für eine Sekunde daran erinnerte, daß er als Junge mit dem Boot seines Vaters auf einen verwachsenen See hinausfuhr und schließlich zum Ufer staken mußte, weil die Riemen unter das Kraut gerieten, festsaßen in einer elastischen, aber unzerreißbaren Fessel, so daß er nicht mehr rudern konnte.

Zuerst merkten sie den Sturm kaum oder hätten zumindest nicht sagen können, wann genau er einsetzte – denn während der ganzen Nacht und während des ganzen Vormittags war die See nicht ruhig gewesen –: sie merkten es erst, als das leichte Boot einen Wellenberg hinauflief, einen Berg, der so steil war, daß ihre Rucksäcke plötzlich polternd über die Bodenbretter in das Heck rutschten und die Männer sich in jähem Erstaunen ansahen, da der Wellenberg vor ihnen kein Ende zu nehmen schien und sich noch weiter hinaufreckte, während das Boot, das nicht an ihm klebte, sondern ihn erklomm, so emporgetragen wurde, daß Tadeusz zu rudern aufhörte, weil er glaubte, mit seinen Riemen das Wasser nicht mehr erreichen zu können. Und sie merkten den Sturm, wenn das Boot jedesmal unterhalb des Wellenkammes stillzustehen schien auf dem steilen Hang, wobei sie dachten, daß sie entweder zurückschießen oder aber, was wahrscheinlicher war, von dem sich aufrichtenden und zusammenstürzenden Kamm unter Wasser gedrückt werden müßten.

Der Professor hielt sich mit einer Hand am Dollbord fest und schöpfte mit der anderen Wasser. Lorenz hatte sich im Bug umgedreht und blickte voraus. Tadeusz hielt die Riemen, ohne sie regelmäßig zu benutzen. Es war ihr erster Sturm.

Das Boot torkelte nach beiden Seiten, von beiden Seiten klatschte Wasser herein, über den Bug fegte die Gischt, traf schneidend ihre Gesichter, und die Hände wurden klamm. Lorenz konnte Tadeusz auf der mittleren Ducht nicht ablösen, er konnte sich nicht aufrichten, ohne das leichte Boot in die Gefahr des Kenterns zu bringen. Hockend zerrte er die Rucksäcke in die Mitte des Bootes, löste die Riemen und schnallte sie an der Ducht fest. Die Riemen knarrten und strafften sich, sie verhinderten, daß die Rucksäcke ins Heck rollten. Der Professor versuchte eine Zigarette anzustecken; es gelang ihm nicht, und er warf die Zigarette, die von der hereinfegenden

Gischt naß geworden war, über Bord. Er nahm einen Schluck aus der Schnapsflasche und reichte die Flasche dann Lorenz, der ebenfalls einen Schluck nahm. Tadeusz trank nicht. Er konnte die Riemen nicht mit einer Hand halten. Die schmutzige Wolke stand jetzt über ihnen. Sie bewegte sich langsam, sie schien sich nicht schneller zu bewegen als das Boot.

Und dann war es wieder Tadeusz: in dem Augenblick, als der Professor seinen wasserbesprühten, blinden Zwicker abnahm und in die Brusttasche schob, in der Sekunde, da Lorenz sich angesichts eines zusammenstürzenden Wellenkammes unwillkürlich duckte, rief Tadeusz ein Wort – wenngleich es ihnen allen vorkam, daß es mehr war als ein Wort –:

»Küste!« rief er, und ehe sie noch etwas wahrnahmen oder sich aufrichteten oder umdrehten, fühlten sie sich durch das eine Wort bestätigt, ja, sie hatten sogar das Empfinden, daß der Sturm, nachdem das Wort gefallen war, wie auf Befehl nachließ, und dies Empfinden behauptete sich, selbst als sie sich umwandten und nichts sahen als die dünende Einöde der See.

»Wo?« schrie Lorenz.

»Wo ist die Küste?« rief der Professor.

»Gleich«, sagte Tadeusz.

Als die nächste Welle sie emportrug, sahen sie einen dunklen Strich am Horizont, dünn wie eine Planke oder das Blatt eines Riemens; es war die Küste.

»Da«, schrie Tadeusz, »ich hab sie gesehn.«

»Die Küste«, murmelte der Professor und legte die Hand auf seinen Rucksack.

»Welche Küste?« fragte Lorenz.

»Wahrscheinlich eine Insel«, sagte der Professor, »es sah so aus.«

»Mit irgendeiner Küste ist uns nicht gedient«, sagte Lorenz. »Wir müssen wissen, welche Küste es ist.«

»Es muß eine schwedische Insel sein«, sagte der Professor.

»Und wenn es keine schwedische Insel ist?«

»Es ist eine.«

»Aber wenn es eine andere ist?«

»Dann bleibt immer noch Zeit.«

»Wofür?«

Der Professor antwortete nicht, schob die Finger in eine Westentasche und kramte vorsichtig und zog eine kleine Glasampulle heraus, die er behutsam zwischen Daumen und Zeigefinger hielt und den Männern zeigte.

»Was ist das?« fragte Lorenz.

»Für den Fall.«

»Für welchen Fall?«

»Es ist Gift«, sagte der Professor.

»Gift?« fragte Tadeusz.

»Es braucht nur eine Minute«, sagte der Professor, »wenn die Ampulle zerbissen ist. Man muß sie in den Mund stecken und drauf beißen. Es ist noch Friedensware.«[12]

Lorenz sah auf die Ampulle, sah in das Gesicht des Professors, und in seinem Blick lag eine nachdenkliche Feindseligkeit. Jetzt glaubte er, daß er diesen Mann schon immer gehaßt hatte, weniger als Erwiderung darauf, daß er sich selbst mitunter von ihm gehaßt fühlte, als wegen der gefährlichen Jovialität und der biedermännischen Tücke, die er in seinem Wesen zu spüren glaubte.

»Sie sind übel«, sagte Lorenz, »ah, Sie sind übel.«

»Was ist denn?« sagte der Professor erstaunt.

»Ich wußte es immer, Sie taugen nichts.«

»Was habe ich denn getan?«

»Getan? Sie wissen nicht einmal, was Sie getan haben? Sie haben Tadeusz verraten, den Mann, der für Sie rudert, und Sie haben mich verraten. Sie haben natürlich dafür gesorgt, daß Sie einen heimlichen Vorteil hatten. Sie dachten nicht daran,[13] mit gleichen Chancen ins Boot zu steigen. Sie hatten für den Fall der Fälle vorgesorgt.[14] Sie brauchen nur eine Minute – und wir? Interessiert es Sie nicht, wieviel Minuten wir brauchen? Das ist der dreckigste Verrat, von dem ich gehört habe. Na, los, beißen Sie drauf, schlucken Sie Ihre Friedensware. Warum tun Sie es nicht?«

Der Professor drehte die kleine Ampulle zwischen den Fingern, betrachtete sie, und dann schob er die Hand über das Dollbord und ließ die Ampulle los, indem er die Zange der Finger öffnete. Die Ampulle fiel ohne Geräusch ins Wasser.

»Ein dreckiger Verrat«, sagte Lorenz leise.

Der Sturm trieb sie auf die Küste zu, die höher hinauswuchs aus der See, eine dunkle, steile Küste, vor der die Brandung schäumte. Die Küste war kahl, nirgendwo ein Haus, ein Baum oder Licht, und Tadeusz sagte:

»Bald wir finden trocknes Bett. Bald wir haben warmes Essen.«

Lorenz und der Professor schwiegen; sie hielten die Küste im Auge. Obwohl es spät am Nachmittag war, lag Dunkelheit über der See und über dem Land. Ihre nassen Gesichter glänzten. Die Wellen warfen das Boot auf die Brandung zu, die rumpelnd, wie ein Gewitter, gegen die Küste lief.

»Wenn wir sind durch Brandung, sind wir an Land«, sagte Tadeusz scharfsinnig.[15] Niemand hörte es, oder niemand wollte es hören; den Körper gegen die Bordwand gepreßt, die Hände auf dem Dollbord: so saßen sie im Boot und blickten und horchten auf die Brandung. Und jetzt sahen sie etwas, was niemand auszusprechen wagte, nicht einmal Tadeusz sagte es, obzwar die andern damit rechneten, daß er auch dies sagen würde, was sie selbst sich nicht einzugestehen wagten: dort, wo die Steilküste sich vertiefte und eine Mulde bildete, standen zwei Männer und beobachteten sie, standen, dunkle Erscheinungen gegen den Himmel, bewegungslos da, als ob sie das Boot erwarteten.

Die erste Brandungswelle erfaßte das Boot und trieb es rückwärts und in sehr schneller Fahrt gegen die Küste; die zweite Welle schlug das Boot quer; die dritte hob es in seiner Breite an, obwohl Tadeusz so heftig ruderte, daß die Riemen durchbogen und zu brechen schienen, warf es so kurz und unvermutet um, daß keiner der Männer Zeit fand, zu springen. Einen Augenblick war das Boot völlig unter Wasser verschwunden, und als es kieloben zum Vorschein kam, hatte es die Brandungswelle fünf oder acht oder sogar zehn Meter unter Wasser gegen den Strand geworfen. Mit dem Boot tauchten auch Lorenz und Tadeusz auf, dicht neben der Bordwand kamen sie hervor, klammerten sich fest, während eine neue Brandungswelle sie erfaßte und vorwärtsstieß und über ihren Köpfen zusammenbrach. Als die Gewalt der Welle nachließ, spürten sie Grund unter den Füßen. Das Wasser reichte ihnen bis zur Brust.

Etwas Weiches, Zähes schlang sich um Lorenz' Beine; er bückte sich, zog und brachte den schwarzen Umhang des Professors zur Oberfläche. Er warf ihn über das Boot und blickte zurück. Der Professor war nicht zu sehen.

»Da hinten!« rief eine Stimme, die er zum ersten Mal hörte. Neben ihnen, bis zur Brust im Wasser, stand ein Mann und deutete auf die Brandung hinaus, wo ein treibender Körper auf einer Welle sichtbar wurde und im Zusammenstürzen unter Wasser verschwand. Der Mann neben ihnen trug die Uniform, die sie kannten, und noch bevor sie zu waten begannen, sahen sie, daß auch der Mann, der am Ufer stand, eine Maschinenpistole schräg über dem Rücken, Uniform trug. Er winkte ihnen angestrengt, und sie wateten in flaches Wasser und erkannten die Küste wieder.

Mein verdrossenes Gesicht

Auch er ist hier hängengeblieben, auch Bunsen, mein Bootsmannsmaat aus dem Krieg: festes Wangenfleisch, sauber zuge-
knöpft und mit seinem Blick, dem nichts verborgen bleibt – so
fand ich ihn unten in den Grünanlagen, so stand er und beobachtete die Modenschau im Freien. Er photographierte; er
trug einen Kasten an ledernem Achselriemen, einen sehr
kleinen Photoapparat in der Hand, und ich sah, wie er manchmal schnell in die Hocke ging, sich nach vorn beugte, weit aus-
legend zur Seite: sein Blick, dem nichts verborgen bleibt, der
uns einst hatte schaudern lassen, er verband sich jetzt mit der
Irrtumslosigkeit des Apparats, mit seiner unwiderruflichen
Beweiskraft. Lose lag der Finger auf dem Auslöser, die Oberlippe hob sich zu einem feinen, gequälten Grinsen, und es durchzuckte mich jedesmal, wenn der Auslöser klickend niederging.

Es durchzuckte mich, wenn er die Linse des Apparats auf
den Laufsteg richtete, auf die vorführenden Frauen, die mit
warmem Lächeln die Wünsche der Hausfrau über den Steg
trugen, geblümte Schürzen, geblümte Kittel mit Krause, die
schlichte Schönheit der Küche – immer erschrak ich, fürchtete, daß sein Blick, dem nichts verborgen bleibt, etwas entdecken könnte, einen Fehler im Stoff, einen Fleck, eine unan-
gebrachte Falte.

Doch er photographierte nur, blickte sorgfältig und photographierte; von unten photographierte er, aus künstlerischer
Schräglage, und auf einmal sah ich, wie er, bevor noch das
Klicken des Auslösers erfolgt war, den Apparat langsam absetzte, zögernd, mit einem Ausdruck von Staunen, den man bei
seinem Blick nicht erwartete: er hatte mich entdeckt. Mit
zögerndem Lächeln kam er auf mich zu – bist du's oder bist
du's nicht – kam mit seiner ganzen Ausrüstung herüber, ja, ich
war es, und er streckte mir beide Arme als Gruß entgegen.

»Junge«, sagte er, »alter Junge.«

»Ja«, sagte ich.

Freude hatte ihn ergriffen, schulterklopfende Fröhlichkeit, und er betrachtete mich sorgfältig von allen Seiten und sagte:

»Junge, alter Junge.«

Er ließ den Apparat verschwinden, packte alles ein und hakte mich unter; sehr fest, sehr kameradschaftlich nahm er meinen Arm, fester Kriegskameradengriff; unwichtig, daß er meinen Namen vergessen hatte, den Ort, wo wir uns zum letzten Mal gesehen – es war im Krieg gewesen, und das genügte, gab mir eine Menge Kredit: »Junge, alter Junge.«

Er zog mich runter in eine Kellerkneipe, wir tranken Bier und rauchten seine Zigaretten, und sein Blick, dem nichts verborgen bleibt, ruhte auf mir, während er erzählte.

Bunsen war Photograph geworden, Werbephotograph; er hatte von unten angefangen, als Unbekannter; oh, er kannte die Niederungen der Mühsal, das traurige Dasein ohne eigene Dunkelkammer, er hatte das Elend eines Photographen noch nicht vergessen – jetzt war es vorbei, jetzt kamen Firmen zu ihm, er durfte wählen.

»Und du weißt, Junge, was das heißt, wenn man wählen darf.«

»Ja«, sagte ich.

»Und du?« sagte er.

»Was?«

»Hast du was gefunden?«

»Verschiedenes«, sagte ich.

»Verschiedenes ist nicht gut, man soll nicht zu oft wechseln.«

»Ja.«

»Und jetzt?« fragte er.

»Verschiedenes in Aussicht.«

Ich erschauerte, ich erschrak plötzlich wie beim Kleiderappell damals; denn seine Oberlippe hob sich, sein Blick hatte einen festen Punkt an mir entdeckt, lag ruhig und berechnend auf meiner Schulter.

»Junge«, sagte er, »hör zu, alter Junge: du bist gut für mich, du könntest anfangen bei mir; ich brauche ein Modell für eine Serie. Du bist sehr gut dafür, du bist sogar besser als jeder andere, und vielleicht hätte ich dich suchen lassen, wenn wir uns nicht getroffen hätten. Es ist eine Zeitschriftenserie, und niemand ist dafür so geeignet wie du.«

»Wodurch bin ich geeignet?« sagte ich.

»Durch dein Gesicht«, sagte er, »durch dein verdrossenes Gesicht. Du hast schon immer so ausgesehen, als ob dir etwas Kummer macht, als ob du mit der Welt nicht einverstanden bist – das ist sehr gut. Nicht einmal zu spielen brauchst du, der Kummer wirkt sehr natürlich bei dir; du bist sehr gut für die Serie.«

»Was soll ich denn machen dabei?«

»Gar nichts, Junge. Du brauchst überhaupt nichts zu machen. Du brauchst nur so zu gucken, wie du jetzt guckst, und du wirst mit diesem Gesicht und dem Kummer gut verdienen.«

Wir gingen in sein Atelier, machten Probeaufnahmen, und während ich in Zeitschriften blättern durfte, entwickelte er die Aufnahmen in der Dunkelkammer, und dann hörte ich ihn rufen, freudiger Kriegskameradenruf: die Bilder hatten seine Erwartung übertroffen; wir konnten beginnen.

Ich hatte nichts zu tun, mein Blick genügte ihm, mein verdrossenes Gesicht; Bunsen befahl nur den Einsatz:[1] ich mußte meinen Kummer, meine Verdrossenheit an einen Mann wenden, der ohne Schlips ging; ich setzte meine Verdrossenheit bei einem älteren Zeitgenossen ein, dessen Jacke mit Schuppen bedeckt war, mit ausgefallenen Haaren: Bunsen war sehr zufrieden mit mir, mit dem Grad der Mißbilligung auf meinem Gesicht.

»Das kommt gut raus, Junge«, sagte er, »sehr gut. Bei deinem Blick wird keiner mehr ohne Schlips gehen, und wer noch nichts gegen Schuppen getan hat, der wird es nachholen. Die Verdrossenheit in deinem Gesicht ist Kritik und Anklage.«

Dann machten wir Bilder von einem hutlosen Zeitgenossen, ich vernichtete ihn durch meinen Blick; mein Gesicht klagte eine Hausfrau an, die eine nicht ergiebige Suppenwürze, einen Jungen, der keine wissenschaftlich zusammengesetzte Zahnpasta benutzte, einen Hausherrn, der keinen Sekt im Hause hatte: mein Ernst, meine Verdrossenheit richteten sie. Niemand war mehr sicher vor meinem anklagenden Kummer, überall tauchte ich auf, mißbilligend und mahnend, tauchte auf in unvollständigen Küchen, zwischen schlecht polierten Möbeln, hinter leicht beschlagenen Rasierspiegeln, vor denen man noch immer nicht die neue Klinge benutzte, den neuen Apparat.

Ein stiller, anklagender Mond: so stand mein Gesicht über jedem Ort, wo der rechte Kauf versäumt, das geziemende Mittel vergessen war; meine Partner wechselten vor Bunsens Kamera, die Kulissen wechselten, nur ich, ich blieb. Mein Kriegskamerad zog mich durch die ganze Serie, setzte mein verdrossenes Gesicht perspektivisch ein: er hatte mir seinen Blick übertragen, den Blick, dem nichts verborgen bleibt. Ich sah mein Gesicht in den Zeitschriften, fand mich wieder in preiswerten Inseraten; der natürliche Kummer in meinem Gesicht machte sich bezahlt. Ich durfte ihn einsetzen, um den Zeitgenossen zu minimaler Pflicht anzuhalten, dem Haarausfall überlegen zu begegnen, Sekt ständig bereit zu halten; oh, ein anklagendes Gesicht erreicht mehr als Worte.

Und mein Gesicht erreichte, daß sich ein Mann ein Sparkassenbuch zulegte, ein anderer eine Lebensversicherung abschloß; ich erreichte es, indem ich den Nichtsparer, den Unversicherten mit inständigem Vorwurf ansah – Bunsen setzte mein Gesicht entsprechend ein.

Doch dann erfolgte etwas Sonderbares: Bunsen brachte einen neuen Partner ins Atelier, einen kleinen, vergrämten Mann; der sollte brütend am Fenster sitzen, ausgeschlossen von der Welt: er hatte einen Schwarzseher darzustellen, einen Mann, von dem alle Freunde sich losgesagt hatten, weil er keinen Humor besaß, weil er es ablehnte, das »Goldene Hausbuch des Humors« zu beziehen. Gemieden und ausgeschlossen, skeptisch gegenüber der Zukunft, so saß er am Fenster, schwermütig sinnend über den Grund seiner Einsamkeit: ein Felsen der Freudlosigkeit – ich stand schräg hinter ihm. Ich stand hinter ihm, blickte ihn an in Erwartung des klickenden Auslösergeräusches, aber das Geräusch erfolgte nicht, erlöste uns nicht.

»Junge«, sagte Bunsen, »was ist los, alter Junge?«

»Geht's nicht?« fragte ich.

»Dein Gesicht«, sagte er, »wo ist dein Gesicht?«

»Ich hab es bei mir.«

»Das ist nicht dein Gesicht«, sagte er, »nicht das Gesicht, das ich brauche. Du siehst ihn nicht kummervoll an, bei dir ist keine Anklage und kein Vorwurf. Du guckst ihn an, als ob du Mitleid mit ihm hast. Fast könnte man denken, du willst ihm gratulieren.«

»Versuchen wir's noch einmal«, sagte ich.

Wir versuchten es noch einmal, wir probierten wieder und wieder, doch das erlösende Geräusch des Auslösers erfolgte nicht: mein Gesicht mußte sich unwillkürlich geändert haben, ich konnte den kleinen Schwarzseher nicht anklagen, ihn nicht vernichten – ich konnte es nicht. Ich spürte eine heimliche Hingezogenheit zu ihm, empfand eine sanfte Sympathie für sein Unglück; mein Gesicht gehorchte mir nicht mehr.

»Junge«, rief Bunsen, »was ist los, alter Junge? Schau mal in den Spiegel.«

Ich trat vor einen Spiegel, ungläubig, überrascht: ja, ich sah, daß ich lächelte, teilnahmsvoll lächelte, und ich wußte, daß diese Teilnahme aufrichtig war. Und ich ging zu ihm, zu meinem kleinen, vergrämten Kollegen, von dem sich alle Freunde losgesagt hatten, weil er keinen Humor besaß, kein fröhliches Vertrauen zur Zukunft, und ich gab ihm die Hand.

»Junge«, rief Bunsen, »willst du nicht weitermachen, alter Junge?«

»Nein«, sagte ich, »jetzt – jetzt kann ich nicht mehr.«

Schwierige Trauer

Eine Grabrede auf Henry Smolka

Vielleicht, Vater, hast du gesehen, daß wir weniger erschraken
als uns weigerten, zu glauben, was uns die Leitung des Obdach-
losen-Asyls schrieb; denn in all den Jahren – und was sollten
wir anderes tun? – hatten wir uns damit abgefunden, daß du
verschwunden warst und deine Spur für immer unauffindbar
bleiben würde: irgendwo zwischen Luknow,[1] wo du auf-
brachst, und dem Ziel, das nur du allein kanntest, als ihr in
jener eisigen Februarnacht auf den letzten Lastwagen stiegt,
der euch zur Flucht verhelfen sollte. Wir hatten uns an deine
Verschollenheit gewöhnt und waren auf dem besten Wege, dich
und deine Aufgabe zu vergessen, die du damals übernommen
hattest und von der wir immer wieder in Gerüchten hörten, und
es war keine Hoffnung im Spiel, als wir dich zuerst für vermißt,
zehn Jahre später für tot erklären ließen. Wir taten dies deinetwegen und unsretwegen; deinetwegen: weil wir dir die letzte
Ehre, vergessen zu werden, verschaffen wollten; und unsretwegen: weil wir uns insgeheim davor schützen wollten, daß du
mit deinem absurden Besitz aus der Verschollenheit auf-
tauchst, um uns die Ruhe zu nehmen. Alles, Vater, was wir
für dich empfanden, empfanden wir für den Vermißten.

Doch nun bist du aufgetaucht: der einstige Bürgermeister von
Luknow, unserer alten Grenzstadt im Osten,[2] starb in einem
Obdachlosen-Asyl, wo er unter falschem Namen einen Stroh-
sack besetzt gehalten und eifrig verteidigt hatte gegen die zän-
kischen Ansprüche alter Schlawiner, starb und begrub bis
zuletzt mit seinem Körper den wasserdichten Beutel, in dem,
nach deiner Meinung, die Geschichte und das Schicksal unserer Stadt ruhten, oder vielmehr nur das, was von ihrer
Geschichte und ihrem Schicksal übriggeblieben war, seitdem du
dich in jener Februarnacht davongemacht hattest. Deine Spur

ist wieder zum Vorschein gekommen wie eine Spur im Tal der Dünen, die der Wind noch einmal freigefegt hat, bevor er sie endgültig löscht, und du zwingst uns, Vater, uns noch einmal mit dir zu beschäftigen, in deiner Spur zu lesen, und uns an die Stunde zu erinnern, in der du die Aufgabe übernahmst, die dich für immer von uns trennte und mit der du uns bis heute nichts hinterlassen hast als Scham, Verlegenheit und eine schwierige Trauer. Wir können dir keine mildernden Umstände zugute halten, denn wir wissen, daß du bis zuletzt nicht ein einziges Mal an deiner Aufgabe gezweifelt hast.

Du warst überzeugt, gleich damals in jener klaren Februarnacht, als dich der Auftrag des Landrats erreichte, das Archiv der Stadt, die Dokumente von Luknows 600-jähriger Geschichte vor der Roten Armee in Sicherheit zu bringen. Unsere Soldaten hatten die Stadt bereits verlassen, nur Verwundete waren noch da und Zivilisten, die an den Ausfallstraßen lagen und warteten, warteten auf ein Gefährt, das sie aufnehmen sollte; doch es kam nichts, kein knirschendes Geräusch von Schlittenkufen, kein Holpern eines Wagenrades auf unserem schäbigen Pflaster, nur das Springen der Eisdecke auf dem See, in die der Frost lange Risse brach. Doch dann, um Mitternacht, näherte sich ein einzelnes Motorengeräusch, bei dem die Wartenden an der Ausfallstraße die Köpfe hoben, sich aus ihren Vermummungen befreiten; es gelang ihnen nicht, den Lastwagen zum Halten zu bringen, und so verfolgten sie ihn bis zum Stadthaus, immer dem schleifenden Motorengeräusch folgend, stellten ihn und bewegten sich nun von allen Seiten auf ihn zu wie Rinnsale, die schwollen und größer wurden durch immer neue Ankömmlinge, an Druck und Strömung gewannen, so daß sie schließlich vorrückten und den Wagen festkeilten, der mit der Ladefläche gegen die Treppe des Stadthauses stand. Du, Vater, standest oben auf der Treppe, neben dir das bewaffnete Begleitkommando, das die wogende Mauer der Körper zurückhielt, und während ihr dort standet, luden andere das Archiv der Stadt auf die Ladefläche: Kisten mit Dokumenten, Urkunden, Briefen, Bündel von Manifesten, Aufrufen, von gehaltenen und gebrochenen Verträgen – der letzte Bürgermeister von Luknow ließ die Geschichte seiner Stadt verladen, ließ ihre weder ruhmvolle noch ruhmlose Vergangenheit in Sicherheit bringen, weil ihr glaubtet, über die Stadt verfügen zu können, solange ihr über ihre Geschichte verfügtet. Dabei hattet ihr nur übersehen, daß die Geschichte alles enthält außer jener blinden Gerechtigkeit, die ihr – ohne selbst allzu gerecht zu sein – in eurer Überheblichkeit voraussetztet. Und als die ganze verbürgte Vergangenheit von Luknow verstaut war, fuhrt ihr davon, mit Drohungen und Gewalt durch die Mauer der Leiber, die den Lastwagen bis zuletzt umschloß; du sahst, wie einige sich festhielten wie an einem Floß, mitliefen, bettelten und euch schließlich verfluchten: war Greta nicht unter ihnen? Habt ihr mit den Kolben eurer Gewehre auch auf ihre Hände geschlagen, bis sie sich lösten? Greta war sechzehn damals, sehr blaß, von dieser träumerischen Traurigkeit, die euch mißtrauisch machte, so daß ihr es nicht allzu gern saht, wenn ich mit ihr zusammen war – weißt du noch, Vater, ja? Hast du auch sie zurückgestoßen in die Dunkelheit, hast du sie mit den andern aufgegeben, weil dir die Vergangenheit Luknows kostbarer erschien als das Leben der Wartenden? Bedeutete dir die Urkunde über den abgewiesenen Tatareneinfall mehr als Greta?

Ihr wart die letzten, die Luknow verließen, verlassen konnten in jener Nacht, und ihr fuhrt durch unsere Wälder nach Norden zur Küste, mit eurem absurden Fluchtgepäck, das euch dereinst einen absurden Anspruch[3] erleichtern sollte, und wo ihr euch befandet, da war auch die Stadt, die ihr entleert hattet von ihrer Geschichte. Vielleicht glaubtet ihr damals, den anderen Soldaten nicht mehr überlassen zu haben als kaltes Gestein, zeugenlose Wände, eine leere Stadt, in die erst wieder Leben käme, sobald die Stimmen der Vergangenheit zurückkehrten – ihr täuschtet euch.

Mit der fliehenden Front zogt ihr nach Norden, und noch vor dem Haff,[4] in einem verschneiten Tal, erwischte euch ein Flugzeug, flog euch zweimal an und schoß den Lastwagen in Brand, wonach ihr nur eine Kiste und mehrere Bündel mit Dokumenten retten konntet. Ihr habt den Chauffeur nicht begraben, ihr ließt ihn im ausgebrannten Führerhaus stecken, verschafftet euch einen Schlitten, ludet die verringerte, angekohlte Vergangenheit Luknows auf und zogt weiter am Haff

entlang zu den vereisten Piers von Pillau.[5] In einem Güter-
wagen, Vater, mußtet ihr vier Tage und vier Nächte auf ein
Schiff warten, und während dieser Zeit gingst du daran, den
verbliebenen Bestand an Geschichte zu sichten, den Verlust zu
notieren. Was war verlorengegangen? Die Zeugnisse der Pest in
Luknow, oder das gesiegelte Dokument, mit dem einer der
schwammigen Herzöge von Kolsk das damalige Dorf Luknow
seiner zwölfjährigen Mätresse überschrieb? Oder hatte unsere
Stadt die Urkunden über ihren großen Sohn Fittko eingebüßt,
jenen General während der Grenzkriege, der alle Gefangenen
eigenhändig tötete? Hatte Fittko nun nie mehr gelebt? Du
führtest Buch über den Verlust an Vergangenheit, Vater, du
bilanziertest das Kapital an Geschichte, das euch verblieben
war, dir und deinem letzten Helfer, Sbrisny, dem Invaliden, der
dich begleitete. Und ihr bekamt ein Schiff; obwohl die Pier voll
von Verwundeten war, gelang es dir, einen Dringlichkeits-
schein zu erhalten, der euch erlaubte, mit der Kiste und den
Bündeln an Bord zu gehen: vier Verwundete blieben zurück,
wurden für die Zeugnisse von Luknows Tradition geopfert. Es
war ein alter Holzschoner, der euch rausbrachte und west-
wärts über die Danziger Bucht bis zur Reede von Swinemünde,
wo ihr Anker warft und im Morgengrauen, beim Schwojen an
der Kette, Berührung mit einer Mine fandet, endgültige Berührung, die das Schiff in Höhe des Maschinenraums auseinan-
derriß, so daß es in zwei Teilen wegsackte. Niemand hatte
Gelegenheit, etwas zu retten, niemand außer dir: du warst in
dem Floß, das du schweigend ausersehn hattest für solch einen
Fall, mit all deiner umständlichen und manchmal unerträglichen
Sorgfalt, und zur größeren Ehre Luknows verzichtetest du auf
Sbrisny und nahmst einige Bündel von Urkunden ins Floß,
wahllos, denn die Katastrophe ließ dir keine Zeit. Die Kiste
versank. Der träge Zug des Wassers schwemmte die Papiere
hinaus, trieb sie lautlos über den Grund wie tote Fische –
Luknows verflossene Schicksale. Das Salzwasser tilgte die
Schrift: der große Brand unserer Stadt hatte nicht stattge-
funden, eine Hungersnot hatte es nie gegeben, kein Zeugnis
sprach mehr davon, welche namentlich erwähnten Herren einst
das Recht gehabt hatten, jeden Unbekannten zu töten, der ihr

Land betrat. Und ihr hättet nie mehr belegen können, daß
Luknow einst die Spielschulden des mächtigen Wranka übernahm, denn auch seine Quittungen waren in der Kiste.

Du aber, Vater, glaubtest, noch genug im Floß zu haben, so
daß du Sbrisny zurückließest, wie du Greta zurückgelassen
hattest, du gelangtest an den Strand, schlepptest die dezimierte
Geschichte in die Dünen, blicktest nicht auf die Reede hinaus,
sondern zogst weiter, als du deiner Kraft wieder vertrauen zu
können glaubtest. Du hattest dem Landrat versprochen, die
Aufgabe zu übernehmen, und du hieltest dich an dies Versprechen, erkanntest nichts anderes an. Du hattest dich gegen
jeden Zweifel durch deine Überzeugung geschützt, für Luknow
zu handeln, und du zogst weiter nach Westen, gelangtest durch
deine List, die du so kunstgerecht tarnen konntest, auf die
Puffer des letzten Zuges, der Swinemünde verließ. Und du über-
standest die Fahrt, auch wenn du wieder einen Teil unserer
Geschichte einbüßen mußtest: bei einer unvorsichtigen Bewegung rutschte ein Bündel aus deinen klammen Fingern, fiel in
den Schnee zwischen den Schienen, wurde vom Wind erfaßt,
über den Damm gewirbelt und wie riesige Schneeflocken über
das flache Land. Verloren war auch dies: das Zeugnis eines
frühen Bürgermeisters, der einst die Stadt retten wollte, indem
er sich in einen Zweikampf mit dem Führer der Angreifer ein-
ließ und verlor; die Beurkundung einer öffentlichen Blendung
von aufsässigen Knechten und all die anderen gegebenen, beglaubigten und gezeichneten Dokumente,[6] die vom Glück und
Unglück, vom Triumph und der Schande unserer Stadt Kunde
gaben. Bis dahin, bis auf die Puffer des Zuges, hatten wir deine
Spur verfolgt, und zwar weniger aus Anteilnahme – denn dazu
gabst du uns keinen Anlaß –, als um die letzte Bestätigung für
unseren Glauben zu erhalten, daß der verhängnisvollste Irrtum
deines Lebens die Überzeugung war, die Geschichte einer Stadt
wöge das Leben eines einzigen Menschen auf.

Dann bliebst du verschollen, zogst durch das Land auf der
verzweifelten Suche nach deinem Auftraggeber, Stück um
Stück der Geschichte Luknows ging verloren: die Zeit der
Besetzung, der Aufstände, der drohenden Erscheinungen am
Himmel, und zuletzt blieb nur noch der wasserdichte Beutel,

den du in deinem Argwohn an der Haut fühlen mußtest Tag und Nacht. Auch wenn du das Gegenteil erreichen wolltest: durch dich erst wurde die Vergangenheit unserer Stadt in alle Winde gestreut, ihre mittelmäßige Geschichte, die ihr so hoch schätztet, weil ihr die Gegenwart insgeheim verachtetet. Wir wissen nicht, Vater, wohin dich dein Weg führte, nachdem du den Zug verlassen hattest; wir haben auch nicht den Wunsch, es zu erfahren. Das Obdachlosen-Asyl, in dem du starbst, schickte uns deinen Napf und dein Besteck, eine Blechdose mit Kleingeld und Kippen und den Beutel, in dem die Reste von Luknows vergangener Zeit steckten. Wir legen keinen Wert darauf. Wir verachten sie nicht, aber wir fühlen auch keinen Grund, ihr das Geringste zu opfern oder gar für sie einzutreten, wie du für sie eingetreten bist. Hier, nimm deinen Beutel und fahr wohl.

Notes

Although information which may be readily obtained from dictionaries, etc., is not, in general, duplicated in the following notes, certain technical terms have been elucidated.

EIN HAUS AUS LAUTER LIEBE (pp. 11–18)

[1] *nur zu:* go ahead.

[2] *von mir aus:* it's all right with me if . . .

[3] *Leidensmann:* i.e. Christ.

[4] *Sie sind von Bord:* they have left ship – the first of the nautical metaphors reflecting the speaker's former occupation.

[5] *man:* here dialectal word, equivalent to *nur, bloß.*

NUR AUF SARDINIEN (pp. 19–38)

[1] *Macchia:* Italian: scrub.

[2] *Plaza:* i.e. piazza, square.

[3] *Mufflonjagd:* the moufflon is a wild sheep, especially *ovis musimon*, a native of the mountainous regions of southern Europe.

[4] *Karabinieri:* the Italian *carabinieri* are members of an Army corps which is also a police force.

[5] *Unkraut vergeht nicht:* proverbial, cf. English 'ill weeds grow apace'. Vittorio is jokingly applying the saying to himself ('They won't get me', 'I'll survive').

[6] *fünfhunderttausend Lire:* Italian currency, equivalent to about £300.

[7] *Barbagia:* Sardinian hill country. Its inhabitants are noted for their pugnacity.

DER LÄUFER (pp. 39–58)

[1] *Fertig:* get set. The starter's orders in German are: 'Auf die Plätze – fertig – los!'

² *Startloch:* indentations for the toes, now replaced by starting blocks for the heels.

³ *Sprechchöre:* spectators chanting in unison.

⁴ *wie ein skandiertes Echo:* e.g. 'Hóltèn! Hóltèn!' (the name of the hero).

⁵ *Zielgerade:* finishing straight (opposite the *Gegengerade*: back straight), here covered, however, in the initial half-lap of the race, before the ensuing twelve complete laps.

⁶ *Stechen:* process of further competition between contestants of hitherto equal performance (cf. context).

⁷ *pendelte sich ein:* settled into his stride.

⁸ *aufschließen:* close the gap, close up.

⁹ *Korpsstudentenschädel:* i.e. head marked with duelling scars, incurred by its owner when a member of a student *Korps* (*Korporation*, *Verbindung*), 'association'. Only certain of the German student associations are *schlagend* (i.e. 'duelling').

¹⁰ *Duckdalben:* mooring-posts. This masculine noun – the singular form *Duckdalbe*, or *Dückdalbe*, is rare – has a curious history, being derived from the name of the Duke of Alva (see F. Kluge, *Etymologisches Wörterbuch der deutschen Sprache*, 19th ed., revd. W. Mitza, Berlin, de Gruyter, 1963, p. 145).

¹¹ *das ist ein Wort:* that's a promise.

¹² *Donez:* Donets (Russian river).

¹³ *alle Welt ist es nicht mit euerm Sportplatz:* your sports ground isn't up to much.

¹⁴ *ein Platz letzter Güte:* gently ironic expression. The sense is roughly 'a sports ground that was better than none, but only just'.

¹⁵ *Durch die Täler des Kaukasus*, etc.: the names evoke the German retreat from the south of the U.S.S.R. during the Second World War. The *Weichsel* is the Vistula (Polish river).

¹⁶ *Schmalz:* the comic name underlines the irony with which Nobbe's exaggerated attitude to the club and to its sport is treated (cf. context).

¹⁷ *aussteigen:* the colloquialism may be translated literally: to get out (of it).

¹⁸ *Steigerungslauf:* training race designed to raise a runner's potential performance.

¹⁹ *wie sie die letzte Runde einläuteten:* reference to the bell traditionally sounded at the start of the final lap.

DER AMÜSIERDOKTOR (pp. 59–65)

[1] *Promotion:* technical term for the taking of a doctorate.

[2] *Robespierre:* one of the leaders of the French Revolution, Robespierre (1758–94) is associated with the savage use of the guillotine. He was eventually guillotined himself.

[3] *Alëuten:* the Aleutian Islands extend westward from the Alaskan peninsula.

[4] *Paris:* the proper name is pronounced with the stress on the first syllable (in the place name the stress is on the second syllable). Paris, in the ancient legend, has to award his apple to the fairest of three goddesses brought before him by Hermes (Mercury). Bribed with Helen as the promised reward, Paris judges in favour of Aphrodite ('Judgment of Paris').

[5] *Kauwerkzeuge:* chewing utensils, i.e. teeth (humorous).

[6] *Färöer-Bewohnern:* the Faeroe Islands lie in the North Atlantic, between the Shetland Islands and Iceland.

[7] *Baikalsee:* Lake Baikal is in Siberia.

[8] *Flüchtling:* refugee, i.e. from East Germany. This specific application of the word is common in West Germany.

DAS WRACK (pp. 66–77)

[1] *Ducht:* thwart (oarsman's bench placed across the boat).

[2] *ist gut:* all right, O.K.

[3] *Schapps:* lockers. *Der* (or *das*) *Schapp* is the Low German form corresponding to *das Schaff* (South German, Austrian) and *der Schaft* (Swiss).

LUKAS, SANFTMÜTIGER KNECHT (pp. 78–97)

[1] *Kenia-Berge:* the peaks of Mount Kenya.

[2] *kleine Narben*, etc.: the marks denote initiation into the Mau Mau, a secret society of the Kikuyu, one of the principal tribes of Kenya (East Africa). At the time of the Mau Mau rebellion (1952), Kenya was a British colony and protectorate (it is now a republic within the Commonwealth). The Mau Mau gave expression to the African demand for land. Its violent activities were directed against settlers, the government and loyal Africans ('ihre eigenen Leute'). A Mau Mau initiation ceremony is described later in the tale (pp. 83–5).

[3] *erinnerte mich verzweifelt:* racked my brains.

[4] *Wart ein bißchen:* Wait-a-bit, Wait-a-while – a name humorously applied in Africa (and then elsewhere) to plants and shrubs with clinging thorns.

[5] *hätte:* the subjunctive conveys the implicit order.

[6] *Farm:* this English word entered German in the nineteenth century. For the German reader, it is still primarily associated with the English-speaking world.

[7] *er war, wie die anderen seines Stammes, nach Norden geflohen,* etc.: a free adaptation of historical facts for the purposes of the story: in 1899 a smallpox epidemic caused the Kikuyu to vacate land, which was assigned to white settlers. The dispossession left the tribe with a grievance.

[8] *Krieg:* i.e. the Second World War, which ended in 1945.

DER SEELISCHE RATGEBER (pp. 98–103)

[1] *Sie lobten mich zu Wenzel Wittko hinüber:* they recommended me to Wenzel Wittko.

[2] *Ich glaube nichts:* nothing, as far as I'm aware.

DIE NACHT IM HOTEL (pp. 104–107)

[1] *Lausejungen:* rascal (affectionate).

[2] *Ja und?:* this may mean no more than 'So what?' Schwamm, however, takes the phrase as encouraging him to continue.

STIMMUNGEN DER SEE (pp. 108–134)

[1] *den flach explodierenden Strandkiefern:* i.e. they are permanently spread out, as in an explosion – a result of the wind.

[2] *Dollbord:* gunwale, gunnel (upper edge of boat's side).

[3] *Spanten:* ribs (curved timbers).

[4] *Dollen:* rowlocks (contrivances on gunwale, serving as fulcra for oars).

[5] *Eine Meile is abgemacht,* etc.: Tadeusz's speech shows him to be a Pole.

[6] *runtergehn mit der Fahrt:* slow down.

[7] *Was ist mit:* What about . . .

[8] *Küche:* colloquial term applied to the weather, connoting poor visibility, etc.

⁹ *dümpelte:* bobbed (Low German).

¹⁰ *Bierflaschenverschluß:* German beer bottles frequently have an attachment enabling them to be snapped open or shut, as required.

¹¹ *Richte dich gefälligst danach:* ironic: Kindly bear that in mind, So now you know.

¹² *Friedensware:* pre-war product, i.e. reliable. The term does not enable us to decide whether the fugitives are trying to escape from Nazi Germany during the Second World War or from communist East Germany after it. Lenz does not, in *Stimmungen der See*, wish to limit the scope of his story by dealing with a single, identifiable historical situation.

¹³ *Sie dachten nicht daran:* You wouldn't have dreamt of . . ., You had no intention of . . .

¹⁴ *Sie hatten für den Fall der Fälle vorgesorgt:* (roughly) If the worst came to the worst, you were prepared.

¹⁵ *scharfsinnig:* acutely (ironic).

MEIN VERDROSSENES GESICHT (pp. 135–139)

¹ *Einsatz:* commitment. Like the corresponding verb, *einsetzen*, recurring in the story, the word is here redolent of the world of the fighting services.

SCHWIERIGE TRAUER (pp. 140–145)

¹ *Luknow:* fictitious name.

² *im Osten:* i.e. in East Prussia.

³ *einen absurden Anspruch:* i.e. the demand for the restoration of pre-war territorial boundaries. East Prussia is now divided between Poland and the U.S.S.R.

⁴ *Haff:* generic term for a Baltic lagoon. The reference here is to the *Frisches Haff*, one of the largest of the kind.

⁵ *Pillau:* port on the spit of sand separating the *Frisches Haff* from the Baltic. It is now called Baltiysk.

⁶ *die . . . gegebenen, beglaubigten und gezeichneten Dokumente:* legal terminology. The adjectives mean 'given, sealed and signed'.

Vocabulary

Only words and phrases which may cause difficulty appear in this vocabulary, the use of which is intended to complement, and not to replace, that of a dictionary. The English meanings given are not necessarily the primary ones, but rather those which the contexts require.

abgeben (a, e): *to deliver; to concede; to dispense;* sich ∼: *to concern oneself*

abgehen (i, a): *to explore*

abhängen (i, a): *to depend;* (weak) *to leave behind, to lose*

der Absender, -: *sender's name (and address)*

abwinken: *to make a gesture of refusal*

allerhand: *a (good) lot;* es ist ∼ geworden aus dir: *you've certainly grown up; see also under* schaffen

sich anbiedern: *to ingratiate oneself*

anfeuern: *to urge on*

die Angel, -n: *see under* auslegen

sich angeln: *to grab hold of*

angezurrt: *lashed down*

ansehen (a, e): zu gering ∼: *to underestimate*

sich anstellen: *to make a fuss*

die Anzahlung, -en: *first instalment*

auflaufen (ie, au): *to catch up*

auflegen: *to ring off*

aufstecken: *to protrude from a lock*

sich ausbalancieren: *to regain equilibrium*

ausdienen: *to serve its purpose*

ausgebleicht: *bleached*

ausgepumpt: *puffed out*

ausgezackt: *serrated*

ausklinken: *to release*

der Ausläufer, -: *first puff*

auslegen: Angeln (Schnüre) ∼: *to set lines*

ausmachen: *to find*

ausschwimmen (a, o): *to swim from end to end*

die Bahn, -en: mit der ∼: *by train*

die Ballonmütze, -n: *peaked cap with high, soft crown*

der Bauchladen, ⸚: *vendor's tray*

das Begleitkommando, -s: *escort*

das Beiboot, -e: *cock-boat*

die Beruhigungszigarette, -n: *cigarette to calm the nerves*

blockieren: *to jam*

der Bootsmannsmaat, -e and -en: *boatswain's mate*

breitbordig: *broad-beamed*

der Brotbaum, ̈e: *bread-fruit tree*

brummeln: *to mutter*

die Bucht, -en: *bight*

das Bulleye, -s: *porthole*

der Dorn, -en: *thorn; spike*

dritt: sie . . .zu ∼: *the three of them*

durchgelegen: *worn through*

eingekastelt: *in a 'box'*

einsacken: *to sink in*

einschenken: *to pour out drinks*

die Entgrätungsmaschine, -n: *machine for removing bones*

sich fangen (i, a): *to regain control of oneself; to be trapped*

die Fangvorrichtung, -en: *receptacle*

der Feierabend, -e: nach ∼: *after the end of work*

festzurren: *to lash*

fördernd: ∼es Mitglied: *patron*

die Folter, -n: auf die ∼ nehmen: *to torment*

der Freispruch, ̈e: *release*

frisiert: *kept in trim*

das Führerhaus, ̈er: *driver's cab*

der Fußabtreter, -: *doormat*

die Fußleiste, -n: *stretcher* (foot-rest in rowing-boat)

gelbhäutig: *yellow*

geraten (ie, a): zu groß ∼: *to turn out too big*

geschwungen: *curving*

gestärkt: *starched*

die Glasseele, -n: eine ∼ haben: *to be a sensitive soul*

griesig (grießig); *gritty*

großkalibrig: *with a large bore*

die Hallenschuhe (plural): *plimsolls*

herauskramen: *to fish out*

der Herdring, -e: *detachable stove-ring* (used to regulate area of heat)

der Heringshai, -e: *mackerel-shark*

hervorkramen: *see under* herauskramen

hinunterkippen: *to drink up*

hochschrecken (a, o): *to start up*

die Hocke: in die ∼ gehen: *to crouch*

das Hohlkreuz: mit ∼: *erect, with shoulders thrown back*

hüfthoch: *waist-high*

die Innenbahn, -en: *inside lane*
inständig: heartfelt, deep(ly)
das Kaminbesteck, -e: *fire-irons*
die Kammer, -n: *cupboard*
der Karabinerhaken, -: *snaphook*
die Kladde, -n: *rough record*
der Klageton, ⸚e: *plaintive sound*
die Klarscheibe, -n: *water-glass, water-telescope* (glassbottomed bucket, used to make observations beneath the water-surface); (die Brille mit den) ∼n: *goggles*
krängen: *to list, to heel*
die Krängung, -en: *list*

die Ladefläche, -n: *platform, 'back'* (of lorry)
der Länder(vergleichs)kampf, ⸚e: *international competition*
die Länge, -n: der ∼ nach: *full length, right down*
der Landurlaub: *shore leave*
das Landverbot: ∼ geben: *to confine to ship*
lederhäutig: *leather-skinned, leathery*
die Leine, -n: die ∼n loswerfen: *to cast off*
lieb: jeden ∼ en Tag: *every blessed day*

die Manchesterhose, -n: *corduroys*
das Manchesterzeug: *corduroy*
mitgenommen: *worn out*

nachfüllen: wieder ∼: *to refill a glass*
nachsinnen (a, o): *to ponder*
der Nagelschuh, -e: *spiked shoe*

der Obmann, ⸚er and -leute: der ∼ der Zeitnehmer: *chief timekeeper*
die Opuntie, -n: *opuntia* (cactaceous plant)

die Petroleumlampe, -n: *oillamp*
die Positionslampe, -n: *navigation light*

rangieren: *to shunt*
die Reklame, -n: ∼ fliegen: *to fly with an advertisement on display*
das Reklameband, ⸚er: *advertising streamer*

schaffen: einem (allerhand) zu ∼ machen: *to give one (a lot of) trouble*
der Schlawiner, -: *ragamuffin*
schmalstirnig: *lowbrowed*
die Schnittdruck-Vorrichtung, -en: *cutter-release mechanism*
die Schotte, -n (and das Schott, -e): *bulkhead*
die Schräglage, -n: *slant*
schweißglänzend: *glistening with sweat*

das Schwojen: *swinging*
   sinnierend: *meditatively*
die Spikes (plural): *spiked shoes*
die Sprechanlage, -n: *speaker*
der Stabhochspringer, -: *pole-vaulter*
der Stammeseid, -e: *tribal oath*
das Stangeneis: *ice on a stick*
   stetig: ~e Fahrt: *steady progress*
die Stimmung, -en: in ~ versetzen: *to put into a good (convivial) mood*
das Stoffplakat, -e: *advertiser's announcement displayed on soft material*
   stoppen: *to use a stop-watch*
   stoßartig: *throbbing*
die Strandkiefer, -n: *sea-pine*
die Strudelspur, -en: *wake*

der Taschenkalender, -: *diary*
der Tatareneinfall, ⁓e: *Tartar incursion*
   tonangebend: ~ sein: *to be the dominant partner*
das Tuckern: *throbbing*

   übergeschminkt: *with too much make-up*
   übernehmen (a, o): Wasser ~: *to ship water*
   überrundet: *lapped*
die Umkleidekabine, -n: *changing-hut*

   unaufhebbar: *permanent, ineradicable*
   unerhört: *incredibly*
   ungezielt: *vague*

   verdunkeln: *to black out*
der Verhandlungskrampf, ⁓e: *hitch in negotiations*
   verkrampft: *strained, desperate; stiffly*

die Warmlaufübung, -en: *warming-up exercise*
der Werbephotograph, -en: *commercial photographer*
das Werbeplakat, -e: cf. Stoffplakat
der Winkel, -: im rechten ~ stehen: *to be at right angles*

der Zeitgenosse, -n: *individual*
   zerlaufen (ie, au): *to run, to be diffused*
das Zerrspiegel-Kabinett, -e: *hall of mirrors*
   zeugenlos: *blank, mute*
das Zivil: *ordinary clothes*
   zuckeln: *to jog*
   zusammengesackt: *drooping*
der Zwischenspurt, -e and -s: *spurt during a race*
die Zwischenzeit, -en: *meantime; time after part of a race*